经贸汉语

Jīng Mào Hànyǔ

Chinese for Economics and Trade

黄为之　编

黄震华　译

华语教学出版社

First Edition   1998

ISBN 7-80052-506-6
Copyright 1998 by Sinolingua
Published by Sinolingua
24 Baiwanzhuang Road, Beijing 100037, China
Printed by Beijing Foreign Languages Printing House
Distributed by China International
Book Trading Corporation
35 Chegongzhuang Xilu, P. O. Box 399
Beijing 100044, China

Printed in the People's Republic of China

前　言

　　本书是已经出版的《商务汉语》的姊妹篇,也是 25 课,是中央电视台将要播出的同名电视教学片的配套教材。《商务汉语》是教授外国客商初涉中国市场所必需的初级汉语教材。本书是为外国客商在中国进一步拓宽业务而设计的。它的教学对象,是有一定汉语基础、希望在中国建立稳定市场和生产基地的外国客商。全书虽然以汽车作为主产品,但它涉及的经贸领域和语言素材,适用于一切商品的经营。换句话说,学习者只要把"汽车"换成你经营的产品,本书及其配套电视片就是你在中国经商的好帮手了。

　　本书的故事是这样的:当今中国,出现了国民经济腾飞的大好形势,美国某汽车公司决心抓住这个大好机遇,进一步拓宽在中国的业务。美国汽车公司中国公司经理林玉婉,根据公司总部决策,积极开展工作。她为了实现公司目标,首先带领公司职员进行了广泛的中国市场调研,为合资企业的生产作出了准确的产品和市场定位;然后,寻找合作伙伴,建立合资企业——兴华汽车有限公司,招聘员工,开展上岗培训。很快,合资企业顺利投入运营。在一个偶然的场合,林玉婉遇到了她的老同学吴国栋。他们一起长大,有过一段罗曼史。旧时恋情,新的事业,又把他们连在了一起,他们分别成了合资企业中的中方代表和美方代表,为合资企业的建立、运营和发展友好合作,但时有异国文化的冲突和感情的纠葛。公司中的美方职员比尔和中方职员李莎,是一对很好的搭档,又是一对初恋的情人,也时时为公司生活增添一些色彩。兴华汽车有限公司,在中美双方的努力下,合作成功,逐步走上了跨国经营的道路。

《经贸汉语》的电视教学片第一集是全片内容的简介,第二集是本书的第一课,第三集是本书的第二课,其余类推。本书每一课都包括课文、课文拼音、课文英文翻译、生词、重点句、注释和练习。每一课都有 6 个重点句,是学习者应该掌握和比较容易掌握的。课文的英文翻译,可以帮助学习者理解课文。每一课的注释,都是两条,第一条是词语解释,第二条是相关文化知识和背景介绍。全书最后是生词总表,便于学习时查阅。

《经贸汉语》电视教学片的节目主持人,是中央电视台海外中心主任赵宇辉先生和美国的 Karen McMakin 小姐;本书的英文翻译是对外经济贸易大学副校长黄震华教授;中央电视台冯骏、刘屏二位好友,为本书的编写和电视片的摄制,作了大量工作。另外,出版《经贸汉语》的华语教学出版社专门为本书配制了录音带。录音内容包括各课课文及其重点句。我在此一并表示衷心感谢。书中不足之处,欢迎各界朋友批评指正。

对外经济贸易大学
黄为之
1996 年 11 月

Foreword

The present book is a companion volume to the already-published *Business Chinese*. It also consists of 25 lessons and is the textbook that goes with the TV series of the same name. While *Business Chinese* teaches elementary Chinese that is necessary for foreign businessmen who have come to do business in China for the first time, the present book is meant for those foreign businessmen who have learnt some Chinese and who wish to expand their business in China and to establish stable markets and production bases. Though the book takes automobile as the chief product, the domain of economics and trade and the language material it covers can be applied to the management of all commodities. In other words, the learners need only to change "automobile" to the product they deal in. The present book and the TV series that goes with it should be a good help for their doing business in China.

The story of the book goes as follows. In present-day China, an opportunity for rapid economic development has emerged. An American auto firm is determined to grasp this great opportunity to further expand its business in China. Ms Lin Yuwan, manager of the Chinese Company of this American Auto Corporation, adopts vigourous measures in accordance with the decision of the corporation headquarters. She first leads her staff in carrying out extensive research into the Chinese market, and making an accurate positioning of the product in the market. Then, she tries to find a partner for cooperation, establishes a joint venture—Xinghua Automobile Corporation Ltd., hires her staff and carries out training of the staff before they take up their new posts. Soon the joint venture goes into operation smoothly. On a surprise occasion, Lin Yuwan happens to meet her schoolmate, Wu Guodong. They grew up together and seemed to have had a romance between them. The affection in the old times and the new undertaking at the present link them together. They become the American and the Chinese representatives in the joint venture respectively, cooperating for the establishment, operation and development of the joint venture. But they also have clashes between different cultures and emotional entanglements. Bill, an American staff member, and Li Sha, a Chinese staff member of the company, are good partners and seem to have fallen in love with each other. They add some colours to the life in the company. Xinghua Automobile Corporation Ltd., with the joint efforts from both the Chinese and the American sides, has been successful in the cooperation and has gradually embarked on the road towards transnational management.

The first episode of the TV educational series *Chinese for Economics and Trade* is a brief introduction to the entire series. The second episode is actually the first lesson, the third episode the second lesson, and so forth. Each lesson comprises a text, the text in *pinyin*, the English translation of the text, new words and their explanations, key sentences, notes and exercises. Each lesson has 6 key sentences, which need to be grasped by the learners and are easy to learn. The English translation of the texts can help the learners understand those texts. There are two notes in each lesson, of which the first explains some words and expressions and the second provides some relevant cultural background. Finally, there is the general list of all the new words, which makes it easy for the learners to look them up.

The hosts for the TV series *Chinese for Economics and Trade* are Mr Zhao Yuhui, director of Overseas Service of CCTV, and Miss Karen McMakin from the United States. The English translation is done by Professor Huang Zhenhua, Vice-President of the University of International Business and Economics. My two good friends Feng Jun and Liu Ping from CCTV have made significant contributions to the writing of the book and the shooting of the TV series. Sinolingua, the publisher of this book, has also prepared cassette tapes containing the textsand key sentences. Hereby heartfelt thanks are extended to all of them. For any defects in the book, I hope that friends from all circles will oblige me with their valuable comments.

Huang Weizhi
University of International Business and Economics
November, 1996

目　　录
Contents

第一课　国际汽车展览会

（中国国际汽车展览会在某饭店大厅开幕。）

哈　利:林女士!

林玉婉:哈利,你好!

哈　利:林玉婉女士,很高兴见到你!

罗伯特:二位好啊! 我不打扰你们吧!

林玉婉:罗伯特,你好!我们都看好中国市场,看来一场激
　　　　烈竞争是不可避免的了。

比　尔:罗伯特,哈利,你们两个公司可不要落后啊!

哈　利:落后也不怕,中国人常说,后来居上嘛!

林玉婉:不过,在中国汽车市场上竞争对手是很多的,比
　　　　如德国、日本、韩国、法国……

罗伯特:她说得很对!

李　莎:诸位是不是忽略了一个竞争对手? 中国!

罗伯特:这位漂亮的小姐是谁?

比　尔:她是我们汽车公司中国公司林总经理的助理,我
　　　　的女朋友,李莎小姐。

罗伯特:我很欣赏你的提示。

朱海明:朋友们,欢迎你们的到来!请看看这份《汽车工业
　　　　产业政策》,今后中国汽车工业要走一条高起点、
　　　　大批量、专业化的发展道路。

林玉婉:我们就得八仙过海,各显神通啰!

吴国栋：老同学！

林玉婉：国栋！

吴国栋：看来，你这位久居海外的洋老板还没忘记我吴国栋！

林玉婉：你还是这么不饶人！来，我介绍一下，这位是我的老同学，吴国栋。

哈　利：我们早认识了，我们是同行。

林玉婉：国栋，你也是搞汽车工业的？太好了，将来我们可以合作啦！

吴国栋：你不怕像二十多年前一样，各走东西吗？

林玉婉：我看不会的！

Guójì Qìchē Zhǎnlǎnhuì

（Zhōngguó Guójì Qìchē Zhǎnlǎnhuì zài mǒu fàndiàn dàtīng kāimù.）

Hālì：　　　Lín nǚshì!

Lín Yùwǎn：　Hālì, nǐhǎo!

hālì：　　　Lín Yùwǎn nǚshì, hěn gāoxìng jiàndào nǐ!

Luóbótè：　Èrwèi hǎo a! Wǒ bù dǎrǎo nǐmen ba!

Lín Yùwǎn：Luóbótè, nǐhǎo! Wǒmen dōu kànhǎo Zhōngguó shìchǎng, kànlái yìcháng jīliè jìngzhēng shì bùkě bìmiǎn de le.

Bǐ'ěr：　　Luóbótè, Hālì, nǐmen liǎng gè gōngsī kě bú yào luòhòu a!

Hālì: Luòhòu yě bú pà, Zhōngguórén cháng shuō hòulái-jūshàng ma!

Lín Yùwǎn: Búguò, zài Zhōngguó qìchē shìchǎngshang jìngzhēng duìshǒu shì hěn duō de, bǐrú Déguó, Rìběn, Hánguó, Fǎguó . . .

Luóbótè: Tā shuōde hěn duì!

Lǐ Shā: Zhǔwèi shìbushì hūlüè le yí ge jìngzhēng duìshǒu? Zhōngguó!

Luóbótè: Zhè wèi piàoliàng de xiǎojie shì shuí?

Bǐ'ěr: Tā shì wǒmen qìchē gōngsī Zhōngguó gōngsī Lín zǒngjīnglǐ de zhùshǒu, wǒ de nǚpéngyou, Lǐ Shā xiǎojie.

Luóbótè: Wǒ hěn xīnshǎng nǐ de tíshì.

Zhū Hǎimíng: Péngyoumen, huānyíng nǐmen de dàolái. Qǐng kànkan zhè fèn 《Qìchē Gōngyè Chǎnyè Zhèngcè》, jīnhòu Zhōngguó qìchē gōngyè, yào zǒu yì tiáo gāo qǐdiǎn, dà pīliàng, zhuānyèhuà de fāzhǎn dàolù.

Lín Yùwǎn: Wǒmen jiù děi bāxiān-guòhǎi, gèxiǎn-shéntōng luo!

Wú Guódòng: Lǎo tóngxué!

Lín Yùwǎn: Guódòng!

Wú Guódòng: Kànlái, nǐ zhè wèi jiǔ jū hǎiwài de yáng lǎobǎn hái méi wàngjì wǒ Wú Guódòng.

Lín Yùwǎn: Nǐ háishi zhème bù ráo rén! Lái, wǒ jièshào yíxià, zhèwèi shì wǒ de lǎotóngxué, Wú Guódòng.

Hālì: Wǒmen zǎo rènshi le, wǒmen shì tóngháng.

Lín Yùwǎn: Guódòng, nǐ yě shì gǎo qìchē gōngyè de?
Tài hǎo le, jiānglái wǒmen kěyǐ hézuò la!

Wú Guódòng: Nǐ búpà xiàng èrshí duō nián qián yíyàng,
gè zǒu dōngxī ma?

Lín Yùwǎn: Wǒ kàn bú huì de!

International Automobile Show

(The Chinese International Automobile Show
opens at the hall of a hotel.)

Harley: Ms Lin.

Lin Yuwan: Hello, Harley.

Harley: Very pleased to meet you, Ms Lin Yuwan.

Robert: How are you two? I hope I am not disturbing you.

Lin Yuwan: Hello, Robert. We all think the Chinese market looks good. It seems as if severe competition is inevitable.

Bill: Robert and Harley, your two companies had better not fall behind.

Harley: Don't worry. The Chinese often say: "The newcomers surpass the old-timers. "

Lin Yuwan: But there are many competitors in the Chinese car market, such as Germeny, Japan,

Korea, France ...

Robert: What she said is absolutely right.

Li Sha: Haven't you overlooked a competitor — China?

Robert: Who is this beautiful lady?

Bill: She is my girl friend Li Sha, assistant to General Manager Lin of the Chinese Company of our corporation.

Robert: I very much appreciate your reminding us.

Zhu Haiming: Welcome, friends. Please have a look at this *Industrial Policy for the Automobile Industry*. From now on, the Chinese automobile industry will follow the road of development which is characterized by a high starting point, mass production and specialization.

Lin Yuwan: Then, we are just like the Eight Immortals crossing the sea. Each has to show his or her special prowess.

Wu Guodong: Hello, my old mate.

Lin Yuwan: Guodong!

Wu Guodong: It seems that you haven't forgotten me, even though you are now a foreign entrepreneur who have lived abroad for so many years.

Lin Yuwan: You still have a sharp tongue. Let me introduce my old schoolmate, Mr Wu

Guodong.

Harley： We have known each other for a long
time, as we follow the same trade.

Lin Yuwan： Guodong, you are also in the automobile
business? That's great! So we can cooper-
ate from now on.

Wu Guodong： You are not afraid that we will each go his
or her own way just as we did more than
twenty years ago?

Lin Yuwan： I don't think we will.

生　词
New Words

打扰	dǎrǎo	disturb
看好	kànhǎo	look good, have a good prospect
激烈	jīliè	intense, severe
避免	bìmiǎn	avoid
落后	luòhòu	lag behind
后来居上	hòulái-jūshàng	the newcomers surpass the old-timers
不过	bùguò	but, only
诸位	zhūwèi	you, ladies and gentlemen
忽略	hūlüè	overlook, neglect
欣赏	xīnshǎng	appreciate

提示	tíshì	prompt, remind
产业	chǎnyè	industry, estate
起点	qǐdiǎn	starting point
批量	pīliàng	batch
专业	zhuānyè	special line, specialized trade
道路	dàolù	road
八仙过海,	bāxiān-guòhǎi,	like the Eight Immotals
各显神通	gèxiǎn-shéntōng	crossing the sea, each one showing his or her special prowess
饶	ráo	forgive, have mercy on
搞	gǎo	do, make, work out, set up
各走东西	gè zǒu dōngxī	each goes his own way

重点句
Key Sentences

1. 我不打扰你们吧！

   Wǒ bù dǎrǎo nǐmen ba!

   I hope I am not disturbing you.

2. 我们都看好中国市场。

   Wǒmen dōu kànhǎo Zhōngguó shìchǎng.

   We all think the Chinese market looks good.

3. 中国人常说，后来居上嘛！

Zhōngguó rén cháng shuō，hòulái-jūshàng ma！

The Chinese often say："The newcomers surpass the old-timers."

4. 诸位是不是忽略了一个竞争对手？

Zhūwèi shìbushì hūlüè le yí ge jìngzhēng duìshǒu?

Haven't you overlooked a competitor?

5. 我很欣赏你的提示。

Wǒ hěn xīnshǎng nǐ de tíshì.

I very much appreciate your reminding us.

6. 我们是同行。

Wǒmen shì tónghág.

We follow the same trade.

注　释
Notes

1. **第三个重点句：中国人常说，后来居上。**

"后来居上"，是一个由四个字组成的特殊词组，汉语中叫"成语"。汉语中有许多这样的成语，都是由比较固定的四个字组成的，在这一课中就还有"各走东西"、"八仙过海，各显神通"。有些成语，是对历史故事的概括。如"八仙过海、各显神通"，说的是有八个神仙漂洋过海，各有一套特殊的本领。在学习和使用汉语时，如果能掌握一些成语，就可以使交流和表达更为生动、简洁。

Key Sentence No. 3： The Chinese often say："The newcomers surpass the old-timers."

后来居上 is an idiom made up of four characters. There are many such four-character idioms in Chinese. In this lesson，we have 各走东西 (Each goes his or her own way)，and 八仙过海，各显其能 (Like the Eight Immortals crossing the sea，each has to show his or her special prowess). Some idioms are themselves summaries of historical stories，just like the one about the eight immortals. In the learning and using of the Chinese language，if one can master some idioms，one can be more vivid and concise in expression and communication.

2. 相关文化背景知识：

长期以来，中国的城市交通是以公共汽车和自行车为主的，特别是自行车，中国人的家庭几乎家家必备，许多家庭有两、三辆自行车。上下班时间，自行车在主要街道形成车流，各种汽车都要给自行车让路。对于这种状况，有人说是好事，有人说是坏事。这里又可以用上一句成语，叫"仁者见仁，智者见智"，或者叫"见仁见智"。

Cultural Background：

For a long time，urban transportation in China is mainly dependent on buses and bicycles. Almost every household in China has a bicycle，with some having two or three. During the rush hours，bikes form a stream on main roads，and cars make way to them. Some say this is good and some say it is bad. Here we can use another idiom：仁者见仁，智者见智 (The benevolent see benevolence and the wise see wisdom)，or 见仁见智 (Different people，different views) for short.

练 习
Exercises

一、组词后写出拼音（Complete the following phrases and then give the phonetic notation）：

竞争_____　　_____避免　　_____落后
欣赏_____　　忽略_____　　_____道路

二、选择正确的意思（Choose the correct interpretation）：

1."我不打扰你们吧！" 这句话在这儿的意思是：
①我不给你们添麻烦了。
②我不会影响你们的交谈吧。
③我走了，我不想打扰你们了。

2."我们都看好中国市场。" 这句话的意思是：
①我们一致认为中国市场好。
②我们都相信中国市场好看。
③我们都认为中国市场有潜力。

三、请按下列词语结构组句（Complete the following sentences according to the pattern given）：

我很欣赏你的提示。
①我很_____你的_____。
②我很_____你的_____。
③我很_____你的_____。

四、**听录音，回答下列问题** (Listen to the recording and then answer the following questions)：

    1. 提醒大家不可忽略中国这个竞争对手的这个说话人是谁？她与林玉婉什么关系？与比尔什么关系？

    2. "八仙过海，各显神通"在这儿是什么意思？

五、**把下面的词组成句子** (Unscramble the following into normal sentences)：

    1. 看好　我们　都　市场　中国

    2. 一　对手　竞争　诸位　忽略　了　个

    3. 说　人　后来　中国　常　嘛　居上

    4. 激烈　避免　竞争　一　我们　场　要

六、**根据课文回答问题** (Answer the following questions according to the text)：

    1. 今后中国汽车工业要走一条怎样的发展道路？

    2. 在中国汽车市场上有哪些竞争对手？

    3. 林玉婉与吴国栋过去是什么关系？现在是什么关系？

第二课　投资决策

（郊外，某垂钓场，林玉婉同苗秋萍正在钓鱼。）

林玉婉：李莎和比尔跑到哪儿去了？

苗秋萍：林总，这么好的环境，你不让他们亲热亲热！

林玉婉：小声点，鱼都吓跑了。

李　莎：你们在说什么？

林玉婉：秋萍说，让你们好好亲热亲热！

李　莎：好啊！你又胡说！

林玉婉：别闹了！来，吃点东西吧。我还有好消息告诉你们。

苗秋萍：什么好消息？

林玉婉：那份《汽车工业产业政策》都看过了吧？

众　人：看过了。

林玉婉：很清楚，中国的目标是，力争把汽车工业建成国民经济的支柱产业。

比　尔：这是一个宏伟的计划。

林玉婉：对！中国决心建成几家大型企业和骨干企业。到2000年，汽车产量要满足国内市场90%的需要，而且轿车要满足家庭的需要。所以，我们面临着新的机遇和挑战。

比　尔：我们应该迅速拓宽中国市场，大幅度增加我们公司的汽车销售量。

李　莎：比尔,别忘了,中国最需要的是资金和技术,而不
　　　　是整车进口。

林玉婉：说得对啊。依赖进口,不会有自己独立的民族工
　　　　业。中国过去吃过这方面的亏。今后不会了,他
　　　　们变聪明了。

苗秋萍：有的外国汽车公司,只对在中国高价销售整车或
　　　　者部件感兴趣,这使中国方面很不高兴。

林玉婉：我们充分了解中国人民的感情,所以决定在中国
　　　　寻找合作伙伴,兴办合资企业,支持中国汽车工
　　　　业的发展。

众　人：好!

Tóuzī Juécè

(Jiāowài, mǒu chuídiàochǎng, Lín Yùwǎn tóng
Miáo Qiūpíng zhèngzài diàoyú.)

Lín Yùwǎn:　　Lǐ Shā hé Bǐ'ěr pǎodào nǎr qù le?

Miáo Qiūpíng:　Línzǒng, zhème hǎo de huánjìng, nǐ bú
　　　　　　　ràng tāmen qīnrè qīnrè!

Lín Yùwǎn:　　Xiǎoshēngdiǎn, yú dōu xià pǎo le.

Lǐ Shā: Nǐmen zài shuō shénme?

Lín Yùwǎn:　　Qiūpíng shuō, ràng nǐmen hǎohāor qīnrè
　　　　　　　qīnrè!

Lǐ Shā:　　　　Hǎo a! Nǐ yòu húshuō!

Lín Yùwǎn:　　Bié nào le! Lái, chī diǎn dōngxi ba, wǒ

hái yǒu hǎo xiāoxi gàosu nǐmen.

Miáo Qiūpíng: Shénme hǎo xiāoxi?

Lín Yùwǎn: Nà fèn 《Qìchē Gōngyè Chǎnyè Zhèngcè》 dōu kàn guo le ba?

Zhòngrén: Kànguo le.

Lín Yùwǎn: Hěn qīngchu, Zhōngguó de mùbiāo shì, lìzhēng bǎ qìchē gōngyè jiànchéng guómín jīngjì de zhīzhù chǎnyè.

Bǐ'ěr: Zhè shì yí ge hóngwěi de jìhuà.

Lín Yùwǎn: Duì! Zhōngguó juéxīn jiànchéng jǐ jiā dàxíng qǐyè hé gǔgàn qǐyè. Dào èr líng líng líng nián, qìchē chǎnliàng yào mǎnzú guónèi shìchǎng bǎifēnzhī jiǔshí de xūyào, érqiě jiàochē yào mǎnzú jiātíng de xūyào. Suǒyǐ, wǒmen miànlín zhe xīn de jīyù hé tiǎozhàn.

Bǐ'ěr: Wǒmen yīnggāi xùnsù tuòkuān Zhōngguó shìchǎng, dà fúdù zēngjiā wǒmen gōngsī de qìchē xiāoshòuliàng.

Lǐ Shā: Bǐ'ěr, bié wàngle, Zhōngguó zuì xūyào de shì zījīn hé jìshù, ér búshì zhěngchē jìnkǒu.

Lín Yùwǎn: Shuō de duì a. Yīlài jìnkǒu, bú huì yǒu zìjǐ dúlì de mínzú gōngyè. Zhōngguó guòqù chīguò zhè fāngmiàn de kuī. Jīnhòu bú huì le, tāmen biàn cōngmíng le.

Miáo Qiūpíng: Yǒu de wàiguó qìchē gōngsī, zhǐ duì zài
Zhōngguó gāojià xiāoshòu zhěngchē
huòzhě bùjiàn gǎn xìngqù, zhè shǐ
Zhōngguó fāngmiàn hěn bù gāoxìng.

Lín Yùwǎn: Wǒmen chōngfèn liǎojiě Zhōngguó rénmín
de gǎnqíng. Suǒyǐ juédìng zài Zhōngguó
xúnzhǎo hézuò huǒbàn, xīngbàn hézī
qǐyè, zhīchí Zhōngguó qìchē gōngyè de
fāzhǎn.

Zhòngrén: Hǎo!

Investment Decision-Making

(Lin Yuwan and Miao Qiuping are fishing at a fishing ground.)

Lin Yuwan: Where are Li Sha and Bill?

Miao Qiuping: General Manager Lin, shouldn't you let them be close to each other in such a beautiful environment?

Lin Yuwan: Be quiet. You're scaring the fish away.

Li Sha: What did you say?

Lin Yuwan: Qiuping said that we should let you be close to each other.

Li Sha: (to Miao) You're wagging your tongue again.

Lin Yuwan: Please stop all the fuss. Come and have something to eat. I have some good news to tell you too.

Miao Qiuping What's the good news?

Lin Yuwan: Have you read that *Industrial Policy for the Automobile Industry*?

All: Yes.

Lin Yuwan: It is clear that China's goal is to strive to build the automobile industry into a mainstay of its national economy.

Bill: This is a magnificent plan.

Lin Yuwan: That's right. China is determined to build a number of large, key enterprises. By the year 2000, the automobile production will meet 90% of the domestic demand, and the car production will satisfy the needs of all households. Therefore we are faced with new opportunities and challenges.

Bill: We should rapidly expand our share of the Chinese market, and increase our automobile sales volume by a big margin.

Li Sha: Bill, don't forget that what China needs most are funds and technology, not the import of ready-made cars.

Lin Yuwan: You put it right. Relying on imports, a country won't have its own independent national industry. China suffered from this in the past, but they won't let that happen again. They have become wiser.

Miao Qiuping： Some foreign automobile firms are interested only in selling ready-made cars or parts to China, and that makes the Chinese side most unhappy.

Lin Yuwan： We fully understand the feelings of the Chinese people, and so we have decided to seek partners for cooperation in China to set up joint ventures so as to support the development of Chinese automobile industry.

All： Splendid!

生　　词
New Words

跑	pǎo	run
环境	huánjìng	environment
亲热	qīnrè	close, intimate, affectionate
吓	xià	scare
闹	nào	make a noise, stir up trouble
告诉	gàosu	tell

胡说	húshuō	talk nonsense
目标	mùbiāo	goal
力争	lìzhēng	strive
建成	jiànchéng	build，construct
国民经济	guómín jīngjì	national economy
支柱	zhīzhù	pillar，mainstay
宏伟	hóngwěi	magnificent
计划	jìhuà	plan
骨干	gǔgàn	backbone，key
面临	miànlín	be faced with
机遇	jīyù	opportunity
挑战	tiǎozhàn	challenge
迅速	xùnsù	rapidly
拓宽	tuòkuān	expand
幅度	fúdù	range，margin
资金	zījīn	fund
依赖	yīlài	rely on
独立	dúlì	independent
聪明	cōngmíng	wise
感情	gǎnqíng	feeling
寻找	xúnzhǎo	seek，look for
支持	zhīchí	support

重点句
Key Sentences

1. 中国决心建成几家大型企业和骨干企业。

   Zhōngguó juéxīn jiànchéng jǐ jiā dàxíng qǐyè hé gǔgàn qǐyè.

   China is determined to build a number of large, key enterprises.

2. 我们面临着新的机遇和挑战。

   Wǒmen miànlín zhe xīn de jīyù hé tiǎozhàn.

   We are faced with new opportunities and challenges.

3. 我们应该迅速拓宽中国市场。

   Wǒmen yīnggāi xùnsù tuòkuān Zhōngguó shìchǎng.

   We should rapidly expand our share of the Chinese market.

4. 中国最需要的是资金和技术。

   Zhōngguó zuì xūyào de shì zījīn hé jìshù.

   What China needs most are funds and technology.

5. 他们变聪明了。

   Tāmen biàn cōngmíng le.

   They have become wiser.

6. 我们充分了解中国人民的感情。

   Wǒmen chōngfèn liǎojiě Zhōngguó rénmín de gǎnqíng.

   We fully understand the feelings of the Chinese people.

注　释
Notes

1. **第二个重点句：我们面临着新的机遇和挑战。**

　　"机遇"就是"机会"，指一种及时的好时候或好环境。"机会"用得比较广泛，"机遇"多用于书面。"挑战"的意思是激励或激怒一方起而斗争。与"挑战"相对应的是"应战"。这个重点句中说的"机遇"，对美国公司来说可能意味着一种新的胜利与成功。但是"机会均等"，这种"新的胜利与成功"对所有竞争者都是存在的。这样，公司面临好机遇的同时，也面临着新的挑战。所以人们常说"机遇与挑战并存"。

Key Sentence No. 2： We are faced with new opportunities and challenges.

　　机遇 means more or less the same as 机会 (jīhuì opportunity), referring to an opportune favourable time or environment. 机会 is more commonly used, while 机遇 is more often used in the written form. 挑战 means to urge or provoke someone to compete against one in a fight. Opposite to 挑战 is 应战 (yìngzhàn, accept a challenge). 机遇 in the key sentence may mean a new triumph and success to the American Company. But since there is equal opportunity for all, such "new triumph and success" exist for all competitors. Therefore people often say that opportunities coexist with challenges.

2. **相关文化背景知识：**

　　1994 年，中国政府颁布了《汽车工业产业政策》。这个重大政策的制定、颁布与实施,中国政府是经过长期酝酿和研究的。美国被喻为"建在汽车轮子上的国家",日本、德国、韩国都因优先发展汽车工业而成为经济大国。如果没有现代汽车工业,很难想象今天的世界会是什么样子。而中国的汽车工业长期处于落后局面,供需矛盾十分尖锐,不仅导致大量外汇流失,国家财政负担沉重,而且相关工业得不到发展,整个国民经济难于腾飞。鉴于发达国家的经验和中国的国情,中国政府制定了实施《汽车工业产业政策》的宏伟计划。

Cultural Background:

In 1994, the Chinese government promulgated *Industrial Policy for the Automobile Industry*. It was only after long deliberation and study that the Chinese government drew up, promulgated and implemented this important policy. The United States has been compared to "a country that is built on wheels". Japan, Germany and Korea have all become economic powers by giving priority to the development of autombile industry. Without modern automobile industry, it is difficult to imagine what the present-day world would be like. Chinese auto industry has long been in a backward situation and the contradiction between supply and demand has been very acute. It not only has led to the outflow of large amounts of foreign exchange, becoming a heavy financial burden to the state, but also hindered the development of other related industries, making it difficult for the national economy to achieve rapid development. In view of the experience of

the developed countries and the actual situation in China,
the Chinese government drew up a magnificient plan for
the implementation of *Industrial Policy for the Automobile
Industry*.

练　　习
Exercises

一、**组词后写出拼音**（Complete the following phrases
　　and then give the phonetic notation）：

　　骨干＿＿＿＿＿　　　＿＿＿产业　　面临＿＿＿＿＿

　　＿＿＿＿市场　　宏伟＿＿＿＿＿　　＿＿＿＿伙伴

二、**选择正确的词语填空**（Choose the right word to fill
　　in each of the following blanks）：

　　1. 我们＿＿＿＿＿了解中国人民的感情。（十分、非常、
　　　　充分）

　　2. 中国＿＿＿＿＿建成几家大型企业和骨干企业。（决
　　　　定、决心）

　　3. 我们＿＿＿＿＿着新的机遇和挑战。（面对、面临）

　　4. ＿＿＿＿＿进口，不会有自己的独立的民族工业。（依
　　　　赖、依靠）

三、**听录音回答下列问题**（Listen to the recording and
　　then answer the following questions）：

　　1. 林玉婉说，很清楚中国的目标是——

2. 改革开放以来，中国最需要的是什么？

3. 为了实现"把汽车工业建成国民经济支柱产业"
这一宏伟计划，中国政府的决心是什么？

4. 外国投资者在中国市场面临着什么？

四、把下面的词组成句子 (Unscramble the following into
normal sentences)：

1. 感情　的　充分　了解　我们　你

2. 市场　迅速　应该　我们　拓宽　中国

3. 一　大型　家　企业　这　骨干　中国　是

4. 的　是　需要　最　技术　中国　资金　和

五、回答问题 (Answer the following questions)：

1. 请谈谈你对中国市场的看法。

2. 请谈谈你对轿车进入中国家庭的看法。

3. "依赖进口，不会有自己的独立的民族工业。"你
认为这话对吗？请用贵国实例说明。

第三课 制订市场调研计划

（林玉婉与职工们讨论市场调研计划。）

林玉婉：根据公司总部决策，我让李莎正在拟订一份市场
　　　　调研计划，中心是要解决市场定位问题。讨论的
　　　　时候，你们也谈谈意见。李莎，计划写好了吗？

李　莎：林总，马上就好。我分了四个部分：一是调研目的
　　　　和内容，二是范围和对象，三是方式和步骤，四是
　　　　结果分析和报告写作，可以吗？

林玉婉：十五分钟后讨论。

苗秋萍：比尔，你看这个计划怎么样？

比　尔：她的计划完全是从中国国情出发的。

林玉婉：产品能不能进入目标市场，关键是看定位准确不
　　　　准确。李莎拟订的计划抓住了这个关键。

李　莎：谢谢林总。

林玉婉：我想再强调一下，我特别欣赏她选择的调研范围
　　　　和方式。

李　莎：我是按照林总的要求去做的。

赵雨生：她还分析了中国发展汽车工业的许多困难。

苗秋萍：你指的是资金和技术？

赵雨生：对！还有能源和环境保护问题。

林玉婉：比尔，你怎么一言不发呀？

比　尔：昨天晚上，李莎已经征求过我的意见。

林玉婉：我估计到了，你们早有预谋。

Zhìdìng Shìchǎng Diàoyán Jìhuà

（Lín Yùwǎn yǔ zhígōngmen tǎolùn shìchǎng diàoyán jìhuà.）

Lín Yùwǎn： Gēnjù gōngsī zǒngbù juécè, wǒ ràng Lǐ Shā zhèngzài nǐdìng yífèn shìchǎng diàoyán jìhuà, zhōngxīn shì yào jiějué shìchǎng dìngwèi wèití. Tǎolùn de shíhòu, nǐmen yě tántan yìjiàn. Lǐ Shā, jìhuà xiěhǎo le ma?

Lǐ Shā： Línzǒng, mǎshàng jiù hǎo. Wǒ fēn le sìgè bùfèn: yī shì diàoyán mùdì hé nèiróng, èr shì fànwéi hé duìxiàng, sān shì fāngshì hé bùzhòu, sì shì jiéguǒ fēnxī hé bàogào xiězuò, kěyǐ ma?

Lín Yùwǎn： Shíwǔ fēnzhōng hòu tǎolùn.

Miáo Qiūpíng： Bǐ'ěr, nǐ kàn zhège jìhuà zěnmeyàng?

Bǐ'ěr： Tā de jìhuà wánquán shì cóng Zhōngguó guóqíng chūfā de.

Lín Yùwǎn： Chǎnpǐn néngbunéng jìnrù mùbiāo shìchǎng, guānjiàn shì kàn dìngwèi zhǔnquè bù zhǔnquè. Lǐ Shā nǐdìng de jìhuà zhuāzhù le zhège guānjiàn.

Lǐ Shā:	Xièxie Línzǒng!
Lín Yùwǎn:	Wǒ xiǎng zài qiángdiào yíxià, wǒ tèbié xīnshǎng tā xuǎnzé de diàoyán fànwéi hé fāngshì.
Lǐ Shā:	Wǒ shì ànzhào Línzǒng de yāoqiú qù zuò de.
Lín Yùwǎn:	Tā hái fēnxī le Zhōngguó fāzhǎn qìchē gōngyè de xǔduō kùnnan.
Miáo Qiūpíng:	Nǐ zhǐ de shì zījīn hé jìshù?
Zhào Yǔshēng:	Duì! Háiyǒu néngyuán hé huánjìng bǎohù wèntí.
Lín Yùwǎn:	Bǐ'ěr, nǐ zěnme yìyán-bùfā ya?
Bǐ'ěr:	Zuótiān wǎnshàng Lǐ Shā yǐjīng zhēngqiú guò wǒ de yìjiàn.
Lín Yùwǎn:	Wǒ gūjì dào le, nǐmen zǎo yǒu yùmóu.

Making a Market Research Plan

(Lin Yuwan and her staff are discussing the market research plan.)

Lin Yuwan: In accordance with the decision made by the corporation headquarters, I have asked Li Sha to draw up a plan for market research. The focus is to solve the problem of positioning in the market.

Please give your opinions during the discussion. Li Sha, is the plan ready?

Li Sha: General Manager Lin, it will be ready in a moment. The plan is divided into four parts. Part One covers the aims and contents of the research. Part Two talks about its scope and object. Part Three deals with the mode and procedures, and Part Four is about the outcome analysis and the writing of the report. Will that do?

Lin Yuwan: The discussion will begin in fifteen minutes.

Miao Qiuping: Bill, what do you think of the plan?

Bill: Her plan is based entirely on the actual China situation.

Lin Yuwan: The key to the successful entry of the product into the target market is the correct positioning. Li Sha's plan attacks the crux of the problem.

Li Sha: Thank you, General Manager Lin.

Lin Yuwan: I would like to stress that I particularly admire her choice of scope and style for her survey.

Li Sha: I have just followed General Manager Lin's instructions.

Zhao Yusheng: She has also analysed the many difficul-

		ties China would have in developing her automobile industry.
Miao Qiuping：		You mean funds and technology?
Zhao Yusheng：		Right, and energy resources and environmental protection as well.
Lin Yuwan：		Bill, why have you kept silent?
Bill：		Li Sha already asked for my opinion last night.
Lin Yuwan：		I thought as much. You had some premeditation beforehand.

生　词
New Words

根据	gēnjù	in accordance with, on the basis of
决策	juécè	make policy; policy decision
拟订	nǐdìng	draw up
调研	diàoyán	investigation and research
定位	dìngwèi	orientate; position
部分	bùfen	part
内容	nèiróng	content
对象	duìxiàng	target, object
步骤	bùzhòu	step, procedure
分析	fēnxī	analyse; analysis

国情	guóqíng	the condition of a country
出发	chūfā	set out, proceed from, based on
进入	jìnrù	enter; entry
关键	guānjiàn	key, crux
准确	zhǔnquè	accurate, precise
抓住	zhuāzhù	catch hold of; capture
困难	kùnnan	difficulty
保护	bǎohù	protect; protection
一言不发	yīyán-bùfā	keep one's mouth shut
征求	zhēngqiú	solicit, ask for
预谋	yùmóu	plan beforehand, premeditate

重点句
Key Sentences

1. 中心是要解决市场定位问题。

   Zhōngguó shì yào jiějué shìchǎng dìngwèi wèití.

   The primary focus is to solve the problem of positioning in the market.

2. 你看这个计划怎么样？

   Nǐ kàn zhège jìhuà zěnmeyàng?

   What do you think of this plan?

3. 她的计划完全是从中国国情出发的。

   Tā de jìhuà wánquán shì cóng Zhōngguó guóqíng chūfā

de.

Her plan is based entirely on the actual China situation.

4. 李莎拟订的计划抓住了这个关键。

Lǐ Shā nǐdìng de jìhuà zhuāzhù le zhège guānjiàn.

Li Sha's plan attacks the crux of the problem.

5. 我特别欣赏她选择的调研范围和方式。

Wǒ tèbié xīnshǎng tā xuǎnzé de diàoyán fànwéi hé fāngshì.

I particularly admire her choice of scope and style for her survey.

6. 李莎已经征求过我的意见。

Lǐ Shā yǐjīng zhēngqiú guò wǒ de yìjiàn.

Li Sha already asked my opinion.

注　释
Notes

1. 第二个重点句：你看这个计划怎么样？

汉语中的"看"字，基本意思是把人的目光、视线投向某一个具体的人或物。例如，"看电影"，"看见一次车祸"等。但"看"字还有很多引伸意义，可以灵活运用。如这个句子中的"看"，有思考、分析、判断的意思，和"认为"差不多。如果说"你今天一定要看一下这份计划"，这是用"看"的基本意义；如果说"你看这份计划还有什么问题"，就是用"看"的后一意义了。有时两种意思兼而有之，如说："你看我漂亮不漂亮？"

Key Sentence No. 2： What do you think of the plan?

The basic meaning of 看 in the Chinese language is to direct one's eyes and attention to a person or thing, e. g. , to see a film, to observe a traffic accident, etc. But 看 has many derivative meanings, and can be used quite flexibly. 看 in Key Sentence No. 2 is similar to "think", with such meanings as "think", "analyse" and "judge". If you say： "You must read this plan today", you are using the basic meaning of 看. When you say： "Do you think there are still some problems about this plan?", you are using the derivative meaning of 看. Sometimes, 看 may have both of the two meanings at the same time, e. g. "Please look and say whether I'm pretty. "

2. 相关文化背景知识：

在这一课中，比尔认为李莎的计划完全是从中国实际情况出发的。那么，中国的基本国情是什么呢？中国的基本国情是，中国实行改革开发政策以后，国民经济持续高速增长，成为当今世界上经济发展最快的国家。但同时，由于中国工业基础薄弱，农业经济落后，四个现代化建设存在许多困难，比如资金严重不足，缺乏先进的科学技术和管理经验等。中国传统文化培育起来的人们的价值观念、消费心理和消费习惯，也给国民经济现代化带来一些负面影响。熟悉和了解中国国情，是外国客商立足于中国市场的必要条件。这部电视片以后各集，将在这些方面提供许多有价值的信息。

Cultural Background：

In this lesson, Bill thinks that Li Sha's plan is based

entirely on the actual China situation. What is China's basic situation then? It is as follows. Since China's implementation of the reform and open policy, its national economy has sustained a high growth rate, being one with the highest development speed. But at the same time, owing to the weak industrial foundation and backward agriculture, China still has many difficulties in its modernization drive, such as shortage of funds, lack of advanced science and technology and management experience, etc. The social values, and the mentality and customs of consumption, which were fostered by the traditional Chinese culture, have also brought some negative impact on the modernization of China's national economy. To be familiar with and understand China's actual situation is prerequisite for foreign businessmen to have a foothold in the Chinese market. The following episodes of the present series will provide a great deal of valuable information.

练　习
Exercises

一、组词后写出拼音 (Complete the following phrases and then give the phonetic notation)：

环境_____　　　分析_____　　　选择_____

征求_____　　　_____调研　　拟订_____

二、**听录音回答问题** (Listen to the recording and then answer the following questions)：

1. 林玉婉让李莎写什么？

2. 苗秋萍问比尔："你看这个计划怎么样？"比尔怎么回答？

3. 林玉婉认为产品进入目标市场的关键是什么？

4. 林玉婉特别欣赏李莎调研计划的什么？

5. 中国发展汽车工业有哪些困难？

三、**把下例词组成句子** (Unscramble the following into normal sentences)：

1. 计划 的 完全 从 国情 出发 的 中国 她 是

2. 解决 问题 要 是 中心 市场 定位

3. 李莎 抓住 了 计划 关键 的 拟订

4. 欣赏 我 调研 方式 范围 和 她 的 选择

5. 我 已 征求 的 意见 过 李莎

四、回答问题 (Answer the following questions)：

1. 外商在决定投资前要做哪些工作？

2. 你认为怎样才是好的市场调研？

3. 一份市场调研计划中最重要的是什么？

4. 在讨论调研计划时，林玉婉对比尔说"我估计到了，你们早有预谋"，这话是什么意思？

第四课　家庭访问

（林玉婉等访问北京四合院的一个普通家庭。）

司马向梅：妈，客人到了！

司马文博：欢迎，欢迎！

司马向梅：这是我爸，这是我妈，这是我们家老爷子，退休了。

林玉婉：司马先生，您老好哇！

司马旺财：好，无事一身轻啊！

林玉婉：您现在享福了！

司马旺财：享福，享福！儿子、儿媳妇、孙女都有工作，我还有退休金，每月不少拿钱。

周云琴：快进屋吧！

司马向梅：妈，咱们吃什么饭呀？

周云琴：包饺子。

林玉婉：好！咱们一边包饺子一边聊天吧。我们这次来，是想了解关于家庭买车的问题。

赵雨生：老先生，你们打算买汽车吗？

司马旺财：什么？有了温饱就买车？

司马向梅：爷爷，现代社会，就要有现代生活。

周云琴：你这丫头，天天讲现代生活，钱呢？

司马向梅：挣呀！华西村的农民，过去没吃没穿，看现在，家家都有小汽车了。

李　莎：伯母，现在谁家都有些钱，就是不敢买汽车，钱都
　　　　存在银行生利息呢。

司马文博：小姐，我们多数人收入还是不高的，小汽车
　　　　……

司马向梅：老爸，小汽车进入普通家庭已经不是什么童话
　　　　了。钱少，可以向银行贷款嘛！

周云琴：中国人什么时候兴过借债摆谱？

司马向梅：以后会时兴的。这叫消费观念不同！

林玉婉：向梅小姐说得对，透支消费可以刺激生产，发展
　　　　生产。

司马文博：林女士，恕我直言，你把问题想得太简单了。

司马旺财：唉，我眼看着这马路一年比一年宽，汽车一年
　　　　比一年多，这道儿一年比一年挤！都有了汽
　　　　车，北京还成个啥样？

司马向梅：啥样？更漂亮！

林玉婉：更现代化了！

司马向梅：好喽！该吃饺子喽！

Jiātíng Fǎngwèn

（Lín Yùwǎn děng fǎngwèn Běijīng sìhéyuàn de
yí ge pǔtōng jiātíng.）

Sīmǎ Xiàngméi：Mā, kèrén dào le!

Sīmǎ Wénbó：　Huānyíng, huānyíng!

Sīmǎ Xiàngméi：Zhè shì wǒ Bà, zhè shì wǒ Mā, zhè shì

wǒmen jiā lǎoyézi, tuìxiū le.

Lín Yùwǎn: Sīmǎ xiānsheng, nínlǎo hǎo a!

Sīmǎ Wàngcái: Hǎo, wúshì yìshēn qīng a!

Lín Yùwǎn: Nín xiànzài xiǎngfú le!

Sīmǎ Wàngcái: Xiǎngfú, Xiǎngfú! Érzi, érxífu, sūnnǚ
dōu yǒu gōngzuò, wǒ hái yǒu tuìxiūjīn,
měi yuè bù shǎo ná qián.

Zhōu Yúnqín: Kuài jìn wū ba!

Sīmǎ Xiàngméi: Mā, zánmen chī shénme fàn ya?

Zhōu Yúnqín: Bāo jiǎozi.

Lín Yùwǎn: Hǎo! Zánmen yìbiān bāo jiǎozi yìbiān
liáotiān ba. Wǒmen zhècì lái, shì xiǎng
liǎojiě guānyú jiātíng mǎi chē de wèntí.

Zhào Yǔshēng: Lǎo xiānsheng, nǐmen dǎsuàn mǎi qìchē
ma?

Sīmǎ Wàngcái: Shénme? Yǒu le wēnbǎo jiù mǎi chē?

Sīmǎ Xiàngméi: Yéye, xiàndài shèhuì, jiù yào yǒu xiàn-
dài shēnghuó.

Zhōu Yúnqín: Nǐ zhè yātou, tiāntiān jiǎng xiàndài
shēnghuó, qián ne?

Sīmǎ Xiàngméi: Zhèng ya! Huáxīcūn de nóngmín, guòqù
méi chī méi chuān, kàn xiànzài, jiājiā
dōu yǒu xiǎo qìchē le.

Lǐ Shā: Bómǔ, xiànzài shuíjiā dōu yǒu xiē qián,
jiùshì bùgǎn mǎi qìchē, qián dōu cún zài
yínháng shēng lìxī ne.

Sīmǎ Wénbó: Xiǎojie, wǒmen duōshù rén shōurù háishì

bù gāo de, xiǎo qìchē ...

Sīmǎ Xiàngméi: Lǎobà, xiǎo qìchē jìnrù pǔtōng jiātíng
yǐjīng búshì shénme tónghuà le. Qián
shǎo, kěyǐ xiàng yínháng dàikuǎn ma!

Zhōu Yúnqín: Zhōngguórén shénme shíhou xīngguò
jièzhài bǎipǔ?

Sīmǎ Xiàngméi: Yǐhòu huì shíxīng de. Zhè jiào xiāofèi
guānniàn bùtóng!

Lín Yùwǎn: Xiàngméi xiǎojie shuō de duì, tòuzhī
xiāofèi kěyǐ cìjī shēngchǎn, fāzhǎn
shēngchǎn.

Sīmǎ Wénbó: Lín nǔshì, shù wǒ zhíyán, nǐ bǎ wèntí
xiǎng de tài jiǎndān le.

Sīmǎ Wàngcái: Ài! Wǒ yǎnkànzhe zhè mǎlù yìnián bǐ
yìnián kuān, qìchē yìnián bǐ yìnián
duō, zhè dàor yìnián bǐ yìnián jǐ! Dōu
yǒu le qìchē, Běijīng hái chéng ge
sháyàng?

Sīmǎ Xiàngméi: Sháyàng? Gèng piàoliang!

Lín Yùwǎn: Gèng xiàndàihuà le!

Sīmǎ Xiàngméi: Hǎo lou! Gāi chī jiǎozi lou!

Visiting a Family

(Lin Yuwan and her party are visiting an ordinary family in a typical Beijing quadrangle.)

Sima Xiangmei: Mum, the guests have arrived.

Sima Wenbo: Welcome! Welcome!

Sima Xiangmei: This is my father, my mother, and this is my grandpa who is retired.

Lin Yuwan: Our revered Mr Sima, how are you?

Sima Wangcai: Fine. Happy is the man who is relieved of his duties.

Lin Yuwan: You are enjoying a happy life.

Sima Wangcai: Yes, I am. My son, my daughter-in-law and my grand-daughter all go to work, and I have my pension. It is quite a little money that we get every month.

Zhou Yunqin: Come on in, please.

Sima Xiangmei: What shall we have for the meal?

Zhou Yunqin: *Jiaozi*.

Lin Yuwan: Good. Let's chat while making the dumplings. The purpose of our visit is to get information about household cars.

Zhao Yusheng: Venerable Sir, do you plan to buy a car?

Sima Wangcai: What? Buying a car just after having e-nough food and clothing?

Sima Xiangmei: Grandpa, there should be modern life in a modern society.

Zhou Yunqin: You little girl talk about modern life every day, but where is the money?

Sima Xiangmei: We can make it. The farmers at Huaxi

Village used to lack food and clothing, but now every family there owns a car.

Li Sha: Mrs Sima, every family has some money now, but they dare not use it to buy cars. The money is earning interest in the bank.

Sima Wenbo: Miss, for most of us, our income is not high. Cars...

Sima Xiangmei: Daddy, it is no longer a fairy tale for cars to enter ordinary households. Without enough money, you can ask for a loan from the bank.

Zhou Yunqin: Did the Chinese people ever go in for ostentation by borrowing money?

Sima Xiangmei: It will become popular in the future. This shows a difference in the attitude towards consumption.

Lin Yuwan: Miss Sima is right. Buying on credit can both stimulate and develop production.

Sima Wenbo: Ms Lin, excuse me for speaking bluntly. You have oversimplified the problem.

Sima Wangcai: Year by year I have seen the roads getting wider but the number of cars increased more rapidly, so the roads became more crowded. What would Beijing look like if every family owns a car?

Sima Xiangmei: What would it look like? More beautiful

of course.

Lin Yuwan: And more modern.

Sima Xiangmei: *Jiaozi* is ready now.

生　词
New Words

退休	tuìxiū	retire
享福	xiǎngfú	enjoy a happy life
聊天	liáotiān	chat
家庭	jiātíng	family, household
温饱	wēnbǎo	have adequate food and clothing
现代	xiàndài	modern
社会	shèhuì	society
丫头	yātou	girl
挣	zhèng	earn, make
利息	lìxī	interest
收入	shōurù	income
童话	tónghuà	fairy tale
普通	pǔtōng	ordinary
贷款	dàikuǎn	loan
兴	xīng	be popular, prevail, go in for
债	zhài	debt
摆谱	bǎipǔ	keep up appearances,

		be ostentatious
时兴	shíxīng	become popular，in vogue
消费	xiāofèi	consumption
观念	guānniàn	sense，idea，concept
透支	tòuzhī	overdraw，overspend
刺激	cìjī	stimulate
恕我直言	shù wǒ zhíyán	excuse me for speaking bluntly

重点句
Key Sentences

1. 你们打算买汽车吗？

   Nǐmen dǎsuàn mǎi qìchē ma?

   Do you plan to buy a car?

2. 钱都存在银行生利息呢。

   Qián dōu cún zài yínháng shēng lìxī ne.

   The money is earning interest in the bank.

3. 钱少，可以向银行贷款嘛！

   Qián shǎo，kěyǐ xiàng yínháng dàikuǎn ma!

   You can ask for a loan from the bank.

4. 这叫消费观念不同！

   Zhè jiào xiāofèi guānniàn bùtóng!

   This shows a difference in the attitude towards consumption.

5. 透支消费可以刺激生产，发展生产。

Tòuzhī xiāofèi kěyǐ cìjī shēngchǎn, fāzhǎn shēngchǎn.

Buying on credit can both stimulate and develop pro-
duction.

6. 你把问题想得太简单了。

Nǐ bǎ wèntí xiǎng de tài jiǎndān le.

You have oversimplified the problem.

注　释
Notes

1. **第一个重点句：你们打算买汽车吗？**

　　句中的"打算"是"想"、"考虑"、"计划"的意思。动词，
后边接动宾词组构成的宾语，不能直接跟名词宾语。比如
可以说"我打算去北京"，不能说"我打算北京"；可以说
"这些钱我打算存银行"，不能说"这些钱我打算银行"。
"打算"也可用作名词，可以说"你有什么打算？"，"我知道
你的打算。""打算"和"计划"的意思差不多，常常可以互
换。前面句子中的"打算"，都可以换成"计划"。只是"打
算"多用于口语，"计划"多用于书面，且多用于比较重大
的行动与安排。

Key Sentence No. 1：　Do you plan to buy a car?

　　The verb 打算 in the sentence means "think", "con-
sider", or "plan". It takes a verb-object phrase and not a
nominal phrase as its object. Attention should be paid to
the way the verb 打算 is used in the following sentences：

"I am thinking of going to Beijing", "I plan to deposit the money in the bank". 打算 can also be used as a noun, as in "What is your plan?", "I know what you are up to". 打算 is very similar to 计划, and they can often be used interchangeably. All the 打算 in the above sentences can be changed to 计划. The only difference is that 打算 is more colloquial, while 计划 is mainly used in the written form, often referring to more important actions or arrangements.

2. 相关文化背景知识:

中国人的姓名与外国人不同,中国人的姓在前,名字在后。中国历史上,大约有 8000 多个姓,不过现在常用的只有 200 多个。中国人的"姓"有单姓和复姓之分。单姓是一个字的姓,如"赵、钱、孙、李"等,这是绝大多数;复姓是两个字或三字、四字构成的姓,数量很少,比较常见的有司马、司徒、欧阳、上官、皇甫等。

这一课的人物对话中,还提到东西方消费习惯的不同。从前,国弱民穷,求温饱尚不易得,哪来余钱?省吃俭用,好不容易节余一点钱,过去是藏在家里或埋在地下,后来是存在银行,以备急用。现在,国家经济发展了,人民有了温饱,手中有了余钱,价值观念和消费观念也在悄悄发生变化。特别是在年轻一代身上,这种变化表现得相当明显。"会赚会花",成了相当时髦的价值观,或注重当前消费,或把赚来的钱用于再投资,以求更大的经济效益。

Cultural Background:

Chinese names are different from foreign ones. For the Chinese, the family name comes before the given name. There have been obout 8,000 family names in Chinese history. But there are just over 200 in common use now. Chinese surnames can be single or compound. A single surname has just one character, such as 赵 (Zhào), 钱 (Qián), 孙 (Sūn), 李 (Lǐ). They account for the majority of Chinese surnames. A compound surname may have two, three, or four characters, and these are rare. The more common ones include 司马 (Sīmǎ), 司徒 (Sītú), 欧阳 (Ōuyáng), 上官 (Shàngguān), 皇甫 (Huángpǔ), etc.

The dialogue in this lesson also mentioned the difference in the habit of consumption between the East and the West. In the past, China was weak and its people poor, without enough food and clothing, let alone money to spare. When they saved a little money on food and expenses, they first hid it at home or buried it underground; later they put it in the bank, in case of emergency. Now China's economy has developed and its people, besides enough food and clothing, have some money to spare. Their values and attitude towards consumption are changing quietly. This is especially obvious in the younger generation. "Knowing how to earn and how to spend" has become a fashionable sense of value. They either attach importance to current consumption, or reinvest the money earned in order to obtain even better economic benefits.

练　习
Exercises

一、**组词后写拼音** (Complete the following phrases and then give the phonetic notation)：

包＿＿＿　生＿＿＿　逗＿＿＿　摆＿＿＿
＿＿＿简单　刺激＿＿＿　＿＿＿介绍
挣＿＿＿　端＿＿＿　透支＿＿＿　引导＿＿＿

二、**选择正确的意思** (Choose the correct interpretation)：

1. "每个月不少拿钱"在这儿的意思是：

　① 每个月少拿到不少钱。

　② 每个月拿到的钱很多。

　③ 每个月拿出去不少钱。

　④ 每个月拿到的钱不少。

2. "中国人什么时候兴过借债摆谱？"这句话的意思是：

　① 中国人借债摆谱说不准什么时候会兴起来的。

　② 中国人曾经有过借债摆谱的事。

　③ 中国人借债摆谱会时兴吗？

　④ 中国人什么时候也不会兴借债摆谱。

3. "北京还成个啥样"在这儿的意思是：

　① 今后的北京能成什么样子？

　② 北京还能成什么样？

　③ 今后的北京会变成什么样子？

　④ 今后的北京就不成个样子了！

三、把下面的词组成句子（Unscramble the following into normal sentences）：

1. 银行　向　贷款　可以　企业

2. 利息　在　银行　存　都　钱　有

3. 太　你　简单　得　把　想　问题　了

4. 刺激　消费　生产　可以　透支

四、根据课文回答问题（Answer the following questions according to the text）：

1. 林玉婉拜访司马一家的目的是什么？

2. 司马文博一家对家庭买车各自是什么态度？

3. 根据中国国情，小汽车大量进入中国的普通家庭，是可能的吗？

4. 现在中国人谁家都有些钱，他们怎么处理自己的钱？

4. 林玉婉说："透支消费可以刺激生产，发展生产"，司马文博怎么看？

五、回答问题（Answer the following questions）：

1. 在家庭买车问题上,两代人消费观念有什么不同?

2. 林玉婉"透支消费可以刺激生产,发展生产"的观点符合中国国情吗?

3. 你怎么看待小汽车进入普通中国家庭?

4. 中国是自行车王国,小汽车进入普通中国家庭会有所改变吗?

5. 你怎么看待小汽车进入普通中国家庭与人口大国、交通堵塞的矛盾?

第五课　消费结构的转变

（体育场，一场国际足球比赛正在激烈进行。）

林玉婉:国栋!

吴国栋:这是我的夫人田秀芳。

林玉婉:您好!

田秀芳:您和我想象中的模样儿一样年轻、漂亮!

林玉婉:谢谢! 咱们进场看比赛吧。

李　莎:我们在这儿等你们。

林玉婉:那,回头见!

比　尔:咱们干什么呢?

李　莎:比尔,你想不想知道这些车的主人是谁?

比　尔:这么多车,怎么弄得清楚?

李　莎:告诉你吧,车主只有一个!

比　尔:是谁?

李　莎:姓公,公家车!

比　尔:公家车? 可在我们美国,绝大多数的车辆是私人的!

李　莎:你知道这意味着什么吗?这意味着存在着一个与美国不同的市场。走,我们跟司机聊聊。师傅,您是哪个单位的?

司　机:问这干什么?

李　莎:对不起! 我想问问这车是你的还是公家的?

司　　机：公家的。

李　　莎：什么样的人才能坐这样的车？

司　　机：头头，一般人，都能坐。

比　　尔：那一个单位得多少车啊？

司　　机：许多单位都有车队，少则几辆，多则几十辆吧。

李　　莎：谢谢！

比　　尔：全中国的公车加在一起，各种费用不少吧？

李　　莎：这是一笔巨大的财政开支！

比　　尔：这笔开支应该由个人负担。

李　　莎：所以，国家鼓励私人买车。

比　　尔：这是一个重要的转变！

李　　莎：这，又意味着什么？

Xiāofèi Jiégòu de Zhuǎnbiàn

(Tǐyùchǎng, yìchǎng guójì zúqiú bǐsài zhèngzài
jīliè jìnxíng.)

Lín Yùwǎn：　　Guódòng!

Wú Guódòng：　Zhè shì wǒ de fūren Tián Xiùfāng.

Lín Yùwǎn：　　Nín hǎo!

Tián Xiùfāng：　Nín hé wǒ xiǎngxiàng zhōng de múyàngr
　　　　　　　　yíyàng niánqīng, piàoliang!

Lín Yùwǎn：　　Xièxie! Zánmen jìn chǎng kàn bǐsài ba.

Lǐ Shā：　　　　Wǒmen zài zhèr děng nǐmen.

Lín Yùwǎn：　　Nà, huítóu jiàn!

Bǐ'ěr：　　　Zánmen gàn shénme ne?

Lǐ Shā：　　Bǐ'ěr, nǐ xiǎngbuxiǎng zhīdao zhè xiē chē
　　　　　　de zhǔrén shì shuí?

Bǐ'ěr：　　　Zhème duō chē, zěnme nòng de qīngchu?

Lǐ Shā：　　Gàosu nǐ ba, chēzhǔ zhǐyǒu yí ge!

Bǐ'ěr：　　　Shì shuí?

Lǐ Shā：　　Xìng gōng, gōngjiā chē!

Bǐ'ěr：　　　Gōngjiā chē? Kě zài wǒmen Měiguó, jué
　　　　　　dà duōshù de chēliàng shì sīrén de.

Lǐ Shā：　　Nǐ zhīdao zhè yìwèizhe shénme ma? Zhè
　　　　　　yìwèizhe cúnzàizhe yí ge yǔ Měiguó
　　　　　　bùtóng de shìchǎng. Zǒu, Wǒmen gēn
　　　　　　sījī liáoliao. Shīfu, nín shì nǎgè dānwèi
　　　　　　de?

Sījī：　　　　Wèn zhè gàn shénme?

Lǐ Shā：　　Duìbuqǐ! Wǒ xiǎng wènwen zhè chē shì nǐ
　　　　　　de háishì gōngjiā de?

Sījī：　　　　Gōngjiā de.

Lǐ Shā：　　Shénme yàng de rén cái néng zuò zhèyàng
　　　　　　de chē?

Sījī：　　　　Tóutou, yìbān rén, dōu néng zuò.

Bǐ'ěr：　　　Nà yíge dānwèi děi duōshao chē a?

Sījī：　　　　Xǔduō dānwèi dōu yǒu chēduì, shǎo zé jǐ
　　　　　　liàng, duō zé jǐshí liàng ba.

Lǐ Shā：　　Xièxie!

Bǐ'ěr：　　　Quán Zhōngguó de gōngchē jiā zài yìqǐ,
　　　　　　gèzhǒng fèiyòng bù shǎo ba?

Lǐ Shā:	Zhè shì yì bǐ jùdà de cáizhèng kāizhī!
Bǐ'ěr:	Zhè bǐ kāizhī yīnggāi yóu gèrén fùdān.
Lǐ Shā:	Suǒyǐ, guójiā gǔlì sīrén mǎi chē.
Bǐ'ěr:	Zhè shì yí ge zhòngyào de zhuǎnbiàn!
Lǐ Shā:	Zhè, yòu yìwèizhe shénme?

A Change in the Consumption
Structure

(A closely fought international football match is going on in the stadium.)

Lin Yuwan:	Guodong.
Wu Guodong:	This is my wife Tian Xiufang.
Lin Yuwan:	How do you do?
Tian Xiufang:	You are as young and pretty as I imagined.
Lin Yuwan:	Thank you. Let's go in and watch the game.
Li Sha:	We'll be waiting for you here.
Lin Yuwan:	See you later.
Bill:	What shall we do now?
Li Sha:	Bill, do you want to know who's the owner of these cars?
Bill:	How can I know? There are so many cars

	here.
Li Sha:	There is just one owner.
Bill:	Who is he?
Li Sha:	His surname is Gong (the public), and he is called Gong Jiache (cars belonging to the public).
Bill:	Public cars? But in the States, most of the cars are privately owned.
Li Sha:	Do you know what that means? It means the market here is different from that in the States. Come, let's go and have a chat with the drivers. Sir, where do you work?
Driver:	Why do you ask?
Li Sha:	I am sorry. I just want to ask whether your car is a private car or owned by the work unit.
Driver:	Owned by the work unit.
Li Sha:	Who can use this car?
Driver:	The chiefs, and even the shaff members of our unit can use it.
Bill:	Then how many cars does a work unit need to have?
Driver:	Many work units have a fleet, from several cars to a few dozen.
Li Sha:	Thank you.
Bill:	All the public cars put together must in-

volve a lot of expenses.

Li Sha: This is a huge financial expenditure.

Bill: This expenditure should be borne by individuals.

Li Sha: That's why the state now encourages individuals to buy cars.

Bill: This is a significant change.

Li Sha: What would you say this means?

生　词
New Words

结构	jiégòu	structure
转变	zhuǎnbiàn	change
想象	xiǎngxiàng	imagine
模样儿	múyàngr	appearance, look
年轻	niánqīng	young
弄(清楚)	nòng(qīngchu)	make clear
公家	gōngjiā	the public
绝大多数	jué dà duōshù	most, the overwhelming majority
私人	sīrén	private, personal
意味着	yìwèizhe	mean, signify
存在	cúnzài	exist; existence
单位	dānwèi	work-unit, organization
费用	fèiyong	expense

巨大	jùdà	huge
财政	cáizhèng	finance; financial
开支	kāizhī	expenditure
负担	fùdān	bear; burden
鼓励	gǔlì	encourage

重点句
Key Sentences

1. 你知道这意味着什么吗?
   Nǐ zhīdào zhè yìwèi zhe shénme ma?
   Do you know what that means?

2. 师傅,您是哪个单位的?
   Shīfu, nín shì nǎ ge dānwèi de?
   Sir, where do you work?

3. 这是一笔巨大的财政开支。
   Zhèshì yìbǐ jùdà de cáizhèng kāizhī.
   This is a huge financial expenditure.

4. 这笔开支应该由个人负担。
   Zhèbǐ kāizhī yīnggāi yóu gèrén fùdān.
   This expenditure should be borne by individuals.

5. 国家鼓励私人买车。
   Guójiā gǔlì sīrén mǎi chē.
   The state now encourages individuals to buy cars.

6. 这是一个重要的转变!
   Zhèshì yí ge zhòngyào de zhuǎnbiàn!

This is a significant change.

注　　释
Notes

1. **第二个重点句：师傅，您是哪个单位的？**

　　"师傅"，又作"师父"，是对老师的通称。早在古代，中国人就认识到教育的重要性，认为不送孩子从师受教育，是作父母的罪过；孩子从师以后，则视师为父母；"一日为师，终身为父"，是受教育者终身自觉遵守的道德。这种尊师的风气，以后影响到整个社会。凡是向人学习一门技艺，都必定尊授业者为师。改革开放后，这个词用得更广泛了，在大街上，见什么人都可以叫"师傅"，不论男女，也不论做什么工作，见年纪比你大的，叫"老师傅"；见年纪比你小的，叫"小师傅"。与"师傅"相对应的词是"学生"、"弟子"、"徒弟"。

　　"单位"，在这个句子中是问对方工作的地方，但这个"地方"，不是地理学上的那个概念，不是"北京"、"上海"一类地理名称，而是指机关、团体或者机关、团体中的某一个部门。当有人问"你是哪个单位的？"或"你的工作单位？"你应该回答你工作的机关、团体名称，比如"我在对外经济贸易大学工作"、"我在四通公司工作"。至于"对外经济贸易大学"、"四通公司"在哪儿，你不一定要回答。

Key Sentence No. 2： Sir, where do you work?

　　师　傅（master）is a general term used to address teachers. Early in ancient times, the Chinese people understood the importance of education. They regarded it as a sin on the part of the parents if they did not send their children to receive education from a teacher. Once the child acknowledged someone as his teacher, he regarded him as his parent. "He who teaches me for one day is my father for life" became a moral norm which was observed by all who received education. Later, this practice of showing respect to the teacher influenced the whole society. Whoever was learning a trade from someone should regard the instructor as his teacher. After China's economic reform, 师傅 is used even more broadly. You can use 师傅 to address anyone you meet on the street, irrespective of their genders or trade. If they are older than you, you call them 老师傅. If they are younger, then you call them 小师傅. Opposite to 师傅 are students, disciples, or apprentices.

单位 in this sentence is used to ask the place where one works. But this "place" is not in the geographical sense, such as Beijing or Shanghai. It refers to a government body or an organization, or a department in such bodies or organizations. When someone asks: "Where do you work?", or "What work unit do you work with?", you should give them the name of the government body or organization, e. g. , "I work at the University of International Business and Economics", or "I am with the Stone Company". As to where UIBE or the Stone Company is, you do not have to mention.

2. 相关文化背景知识:

中国目前的汽车市场,以公款消费为主,消费主体是国家的企、事业单位。近些年来,消费结构有了一些变化,集体所有制企业和个人的消费在增长。其实,不只是汽车,还有相当一些商品带有公款消费的性质,比如住房、医疗、宴请等。这种状况,是在特定历史条件下形成的,是"计划经济"条件下的分配制度和"社会主义制度优越性"的一种表现。随着有中国特色的社会主义市场经济的建立,中国的消费结构(包括消费主体和消费形式),正在发生重大变化。这种变化,必将导致商品市场的重新构建。

Cultural Background:

The auto market in present-day China is mainly dependent on consumption with public funds. The principal part of consumption is with institutions and enterprises of the state. In recent years the structure of consumption has witnessed some changes, with increases of consumption by collectively-owned enterprises and individuals. As a matter of fact, it is not just with cars. Some other goods and services also have the characteristic of public consumption, such as housing, medical care, and banquets. Such a situation was formed under certain specific historical conditions, being a manifestation of the distribution system under planned economy and "the superiority of the socialist system". Along with the establishment of the socialist market economy, China's consumption structure (both the main body and the form of consumption) is undergoing significant changes, which will lead to the restructuring of the commodity market.

练　习
Exercises

一、组词后写拼音 (Complete the following phrases and then give the phonetic notation)：

排列____　环视____　____费用　____交流
模样____　转变____　____负担　____鼓励

二、听录音，回答下列问题 (Listen to the recording and then answer the following questions)：

1. 李莎和比尔在体育场停车处干什么？

2. 在中国，绝大多数车辆是公家的，李莎想到了什么？

3. 李莎问一个汽车司机："师傅，您是哪个单位的？"司机怎么回答？他为什么这样回答？

4. 听了李莎说："这是一笔巨大的财政开支"后，比尔怎么说？

三、把下面的词组成句子 (Unscramble the following into normal sentences)：

1. 笔　巨大　一　是　开支　的　这　财政

2. 意味　什么　着　吗　知道　这　你

3. 开支　个人　应该　负担　笔　这　由

4. 鼓励　国家　私人　车　买

四、回答问题（Answer the following questions）：

1. 国家鼓励私人买车意味着什么？

2. 在中国绝大多数车辆是公家的，这种消费形式为什么必须改变？

3. 改革开放以来，中国人的消费结构发生了很大变化，请谈谈你对这方面的了解。

第六课　竞争对手

（吴国栋等在香山饭店门口等人。）

吴国栋：哎，来了。

林玉婉：路上堵车了，真对不起！

吴国栋：玉婉，这位是国际展览中心的朱海明先生。

林玉婉：我们认识。

吴国栋：这位是……

林玉婉：燕京理工大学汽车工程系主任司马文博先生，我们也认识。

吴国栋：他们都是汽车方面的专家，你们有什么问题，尽管问。

司马文博：边走边聊吧。

林玉婉：为了适应新的合作机遇和竞争，我们公司要了解和研究对手。我记得，中国有句古话，叫"知己知彼，百战不殆"，对吧？

比　尔：我们想弄清楚，谁可能是我们的主要竞争对手？

林玉婉：还有，他们在中国市场上追求的目标是什么？他们的竞争策略是什么？

司马文博：在美国，你们的竞争对手不少吧？我想，在中国，恐怕也会是这样。

朱海明：美、日汽车战一向打得很激烈，我估计，你们公司的参与会引起反响的。

林玉婉：我们追求的市场目标可能不同。

司马文博：据我所知，日本有些公司在竞争中一向以反应
迅速著称。

吴国栋：无论在哪儿，竞争是不可避免的，就看你有没有
优势。

比　尔：众所周知，我们的优势是以质取胜。

吴国栋：玉婉！

林玉婉：哦，我在想，我们要充分估计竞争对手的优势和
弱点，然后作出进攻性对策。

比　尔：我们一定会成功的！

苗秋萍：司马文博先生，你能为我们提供一些资料吗？

司马文博：这不难。

比　尔：来，合影留念！

Jìngzhēng Duìshǒu

（Wú Guódòng děng zài Xiāng Shān Fàndiàn
ménkǒu děng rén.）

Wú Guódòng：Āi, lái le.

Lín Yùwǎn：　Lùshàng dǔ chē le, zhēn duìbuqǐ!

Wú Guódòng：Yùwǎn, zhèwèi shì Guójì Zhǎnlǎn Zhōngxīn
de Zhū Hǎimíng xiānsheng.

Lín Yùwǎn：　Wǒmen rènshi.

Wú Guódòng：Zhè wèi shì...

Lín Yùwǎn：　Yānjīng Lǐgōng Dàxué qìchē gōngchéngxì

zhǔrèn Sīmǎ Wénbó xiānsheng, wǒmen yě rènshi.

Wú Guódòng: Tāmen dōu shì qìchē fāngmiàn de zhuānjiā, nǐmen yǒu shénme wèntí, jǐnguǎn wèn.

Sīmǎ Wénbó: Biān zǒu biān liáo ba.

Lín Yùwǎn: Wèile shìyìng xīn de hézuò jīyù hé jìngzhēng, wǒmen gōngsī yào liǎojiě hé yánjiū duìshǒu. Wǒ jìde, Zhōngguó yǒu jù gǔhuà, jiào "zhījǐ-zhībǐ, bǎizhàn-búdài", duì ba?

Bǐ'ěr: Wǒmen xiǎng nòng qīngchu, shuí kěnéng shì wǒmen de zhǔyào jìngzhēng duìshǒu?

Lín Yùwǎn: Háiyou, tāmen zài Zhōngguó shìchǎng shang zhuīqiú de mùbiāo shì shénme? Tāmen de jìngzhēng cèlüè shì shénme?

Sīmǎ Wénbó: Zài Měiguó, nǐmen de jìngzhēng duìshǒu bù shǎo ba? Wǒ xiǎng, zài Zhōngguó, kǒngpà yě huì shì zhèyàng.

Zhū Hǎimíng: Měi Rì qìchē dàzhàn yíxiàng dǎ de hěn jīliè, wǒ gūjì, nǐmen gōngsī de cānyù huì yǐnqǐ fǎnxiǎng de.

Lín Yùwǎn: Wǒmen zhuīqiú de shìchǎng mùbiāo kěnéng bùtóng.

Sīmǎ Wénbó: Jù wǒ suǒ zhī, Rìběn yǒuxiē gōngsī zài jìngzhēng zhōng yíxiàng yǐ fǎnyìng xùnsù zhùchēng.

Wú Guódòng: Wúlùn zài nǎr, jìngzhēng shì bùkě bìmiǎn

de, jiù kàn nǐ yǒuméiyǒu yōushì.

Bǐ'ěr： Zhòngsuǒzhōuzhī, wǒmen de yōushì shì yǐ
zhì qǔ shèng.

Wú Guódòng： Yùwǎn!

Lín Yùwǎn： Ò, wǒ zài xiǎng, wǒmen yào chōngfèn gūjì
jìngzhēng duìshǒu de yōushì hé ruòdiǎn,
ránhòu zuòchū jìngōngxìng duìcè.

Bǐ'ěr： Wǒmen yídìng huì chénggōng de!

Miáo Qiūpíng： Sīmǎ Wénbó xiānsheng, nǐ néng wèi
wǒmen tígōng yìxiē zīliào ma?

Sīmǎ Wénbó： Zhè bù nán!

Bǐ'ěr： Lái, héyǐng liúniàn!

Competitors

(Wu Guodong and others are waiting by the
gate of the Fragrant Hill Hotel.)

Wu Guodong： Oh, there she is.

Lin Yuwan： I am sorry. There was a traffic jam.

Wu Guodong： Yuwan, this is Mr Zhu Haiming from the
International Exhibition Center.

Lin Yuwan： We know each other.

Wu Guodong： And this is . . .

Lin Yuwan： Mr Sima Wenbo, Director of the Auto
Engineering Department of Yanjing

Polytechnic University. We know each other as well.

Wu Guodong: They are both experts in the auto industry. You can ask them whatever questions you have.

Sima Wenbo: Let's chat while walking about.

Lin Yuwan: In order to cope with the new cooperative opportunities and challenges, our firm needs to study and understand our rivals. I remember that there is an old Chinese saying: "Know yourself and know your enemy, and you can fight a hundred battles without defeat." Is that right?

Bill: We would like to make clear who most probably are our main competitors.

Lin Yuwan: And what objectives they are pursuing in the Chinese market and what their competitive strategies are.

Sima Wenbo: You must have many competitors in the States. I am afraid things are the same here in China as well.

Zhu Haiming: The United States and Japan have always been fighting fiercely in the auto market. I assume that your participation will meet with some reverberation.

Lin Yuwan: But our market objective may be different.

Sima Wenbo: So far as I know, some Japanese firms are

well-known for their rapid reaction.

Wu Guodong: Wherever you are, competition is unavoidable. It depends on whether you have advantages.

Bill: As everyone knows, our advantage is to win victory through quality products.

Wu Guodong: Yuwan.

Lin Yuwan: I was thinking that we must take into full account the strengths and weaknesses of our competitors and take aggressive countermeasures.

Bill: We are sure to succeed.

Miao Qiuping: Mr Sima Wenbo, can you provide us with some information?

Sima Wenbo: That's not difficult.

Bill: Come and have a group picture taken.

生　词
New Words

堵	dǔ	block up, jam
工程	gōngchéng	engineering
主任	zhǔrèn	director
尽管	jǐnguǎn	feel free to; though
适应	shìyìng	suit, adapt to
古话	gǔhuà	old saying

知己知彼， 百战不殆	zhījǐ-zhībǐ, bǎizhàn-búdài	Know yourself and know your enemy, and you can fight a hundred battles without defeat.
追求	zhuīqiú	pursue
策略	cèlüè	strategy, tactics
恐怕	kǒngpà	be afraid of, fear
一向	yíxiàng	always, consistently
参与	cānyù	participate; participation
引起	yǐnqǐ	give rise to, cause
反响	fǎnxiǎng	repercussion, echo, reverberation
反应	fǎnyìng	reaction, response
著称	zhùchēng	famous, well-known for
众所周知	zhòngsuǒzhōuzhī	as everyone knows
弱点	ruòdiǎn	weakness
进攻性	jìngōngxìng	aggressiveness
对策	duìcè	counter measure
合影	héyǐng	take a group photo
留念	liúniàn	as a memento, as a souvenir

重点句
Key Sentences

1. 中国有句古话，叫知己知彼，百战不殆。

   Zhōngguó yǒu jù gǔhuà, jiào zhījǐ-zhībǐ, bǎizhàn-búdài.

   As the old Chinese saying goes: "Know yourself and know your enemy, and you can fight a hundred battles without defeat."

2. 谁可能是我们的主要竞争对手？

   Shuí kěnéng shì wǒmen de zhǔyào jìngzhēng duìshǒu?

   Who most probably are our main competitors?

3. 他们在中国市场上追求的目标是什么？

   Tāmen zài zhōngguó shìchǎng shàng zhuīqiú de mùbiāo shì shénme?

   What objectives are they pursuing in the Chinese market?

4. 他们的竞争策略是什么？

   Tāmen de jìngzhēng cèlüè shì shénme?

   What are their competitive strategies?

5. 竞争是不可避免的。

   Jìngzhēng shì bù kě bìmiǎn de.

   Competition is unavoidable.

6. 我们要充分估计竞争对手的优势和弱点。

   Wǒmen yào chōngfèn gūjì jìngzhēng duìshǒu de yōushì hé ruòdiǎn.

We must take into full account the strengths and weaknesses of our competitors.

注　释
Notes

1. 第一个重点句：中国有句古话，叫"知己知彼，百战不殆"。

"知己知彼，百战不殆"，是中国古代一位著名军事家的话。他有一本书，叫《孙子兵法》，原来是"知彼知己，百战不殆"。他的意思是，打仗进攻敌人之前，应该清楚了解对方的优势和劣势，同时也应该了解自己的优势和弱点。这样，才能正确运用战略、战术，以己之长攻敌之短，取得战争的胜利。这样，就可以常胜不败。"殆"，就是危险、失败的意思。当然，常胜将军是没有的，但是懂得这个道理，就可以少打败仗。

Key Sentence No. 1： There is an old Chinese saying that goes："Know yourself and know your enemy, and you can fight a hundred battles without defeat."

This is quoted from an ancient Chinese military strategist Sunzi, who wrote *The Art of War*. What he meant was that before attacking the enemy, you should have a clear understanding of the advantages and disadvantages of both the enemy and yourself. Only in this way can you use the correct strategy and tactics to utilize your strong points to attack the enemy's weak points, which will guarantee your success. In this way you can be ever victorious. 殆 means danger or defeat. Of course there is no ever-victorious general. But once you understand this, you can suffer fewer defeats.

2. 相关文化背景知识：

《孙子兵法》,中国古代的军事名著,中国现存最早的一部兵书。春秋时代（大约公元前 770 年—公元前 476 年）孙武作。这部书总结了中国古代战争的经验,揭示了一些重要的战争规律,具有很高的普遍意义。这部书的理论价值和实用价值,随着历史的推移,越来越被人们所认识。人们常说,商场就是战场。《孙子兵法》的思想,现在大量用于商业竞争中。比如他的"出奇制胜"、"因敌变化而取胜"、"千军易找,一将难求"等等,对在商业竞争中,如何运用竞争策略、如何使用人才,都会有启发。现在,世界上越来越多的商人在研究和运用《孙子兵法》。

Cultural Background：

The Art of War is a famous military work of ancient China, the earliest that has been discovered. It was written by Sun Wu who lived during the Spring and Autumn period (about 770—476 B. C.). Having summarized the experience of wars in ancient China and revealed some important laws of war, it is of great universal significance. Along with the passage of time, its theoretical and practical value has been appreciated by more and more people. It is often said that the market is just like the battle field. The ideas expressed in *The Art of War* are now widely used in commercial competitions. For instance, his sayings such as "Use the unusual to win", "Win victory by modifying your tactics in accordance with the changes in the enemy's conditions", and "One general is harder to come by than a thousand soldiers", have given enlightenment to the application of competitive strategies and the use of talented people in commercial competition. Nowadays, more and more businessmen are studying *The Art of War* and putting it to use.

练　习
Exercises

一、**组词后写拼音** (Complete the following phrases and then give the phonetic notation)：

____机遇　引起____　____对策　估计____
提供____　参与____　____成功　适应____

二、**选择正确的词语填空** (Choose the right word to fill in each of the following blanks)：

1. 他们在中国市场上____的目标是什么？（寻求、追求）

2. 美、日汽车战____打得很激烈。（一向、一直）

3. 你们公司的____会引起反响的。（参加、参与）

4. 他们的竞争____是什么？（策略、政策）

三、听录音，回答下列问题 (Listen to the recording and then answer the following questions)：

1. 司马文博、朱海明等是什么人？

2. 只有了解和研究对手，才能打胜仗。这个意思，中国有句古话是怎么说的？

3. 林玉婉和比尔想弄清楚什么？

4. 日本公司在激烈的市场竞争中有什么特点？

5. 林玉婉公司的优势是什么？

四、把下面的词组成句子 (Unscramble the following into normal sentences)：

1. 是 可能 主要 对手 我们 竞争 谁

2. 什么 他们 在 市场 中国 追求 上 目标 的 是

3. 优势 我们 充分 估计 竞争 对手 要 的

4. 不 避免 竞争 是 可 的

五、回答问题 (Answer the following questions)：

1. 在激烈的市场竞争中没有常胜将军,那你认为成功靠什么？

2. 你了解世界汽车市场竞争对手各自的优势和弱点吗？

3. 中国有句古话"知己知彼,百战不殆",你对此有何看法？

第七课　环境保护

（在交通繁忙的街头，林玉婉等人在考察环保状况。）

冯英才：最近几年，我市的环境状况有了很大改善。

林玉婉：我是有亲身感受的。20多年前，许多地方都可以看到烟囱冒着浓烟，天空灰蒙蒙的。现在，能见到蓝天白云了。

崔执中：不过，我市的机动车发展太快，汽车尾气污染成了一个严重问题。

冯英才：是啊！最近，我们作了一次检查，发现许多车辆的尾气排放量，超过了国家规定的二级标准。

比　尔：我刚来时，很不习惯。

苗秋萍：现在习惯了？

比　尔：习惯是习惯了。这种空气污染毕竟对人体有害。

崔执中：我们十分重视这个问题，要求严格监控汽车尾气排放。

苗秋萍：汽油的质量，同尾气的排放有关。比尔，你说对吗？

比　尔：汽车性能的好坏和保养也很重要。

林玉婉：我认为，保持交通畅通，也可以减少污染。

崔执中：确实，保护环境，涉及到方方面面，还有大量工作要做。

林玉婉：这儿的交通流量是多少？

崔执中：每小时来往车辆大约是 5500 至 6000 辆吧！

苗秋萍：这么多车，噪音污染也让人受不了！

崔执中：对防止噪音污染，我们采取了一些措施。

冯英才：我们在一些噪音扰民的地方，建了隔音墙。

比　　尔：我们大家都知道，造成环境污染的因素很多。

林玉婉：应该说，环境污染是一个全球性问题。

苗秋萍：咱们再到另外几个监测点看看吧！

崔执中：好。

Huánjìng Bǎohù

（Zài jiāotōng fánmáng de jiētou, Lín Yùwǎn
děng rén zài kǎochá huánbǎo zhuàngkuàng.）

Féng Yīngcái：Zuìjìn jǐnián, wǒ shì de huánjìng zhuàng-
　　　　　　kuàng yǒule hěn dà gǎishàn.

Lín Yùwǎn：　Wǒ shì yǒu qīnshēn gǎnshòu de. Èrshí duō
　　　　　　nián qián, xǔduō dìfāng dōu kěyǐ kàndao
　　　　　　yāncōng màozhe nóngyān, tiānkōng
　　　　　　huīmēngmēng de. Xiànzài, néng jiàndào
　　　　　　lántiān báiyún le.

Cuī Zhízhōng：Búguò, wǒ shì de jīdòngchē fāzhǎn tài
　　　　　　kuài, qìchē wěiqì wūrǎn chéng le yí ge
　　　　　　yánzhòng wèntí.

Féng Yīngcái：Shì a! Zuìjìn, wǒmen zuòle yí cì jiǎnchá,

fāxiàn   xǔduō   chēliàng   de   wěiqì
páifàngliàng, chāoguò le guójiā guīdìng de
èr jí biāozhǔn.

Bǐ'ěr: Wǒ gāng lái shí, hěn bù xíguàn.

Miáo Qiūpíng:Xiànzài xíguàn le?

Bǐ'ěr: Xíguàn shì xíguàn le. Zhè zhǒng kōngqì
wūrǎn bìjìng duì réntǐ yǒuhài.

Cuī Zhízhōng:Wǒmen shífēn zhòngshì zhège wèntí, yāo-
qiú yán'gé jiānkòng qìchē wěiqì páifàng.

Miáo Qiūpíng: Qìyóu de zhìliàng, tóng wěiqì de páifàng
yǒuguān. Bǐ'ěr, nǐ shuō duì ma?

Bǐ'ěr: Qìchē xìngnéng de hǎohuài hé bǎoyǎng yě
hěn zhòngyào.

Lín Yùwǎn: Wǒ rènwéi, bǎochí jiāotōng chàngtōng, yě
kěyǐ jiǎnshǎo wūrǎn.

Cuī Zhízhōng:Quèshí, bǎohù huánjìng, shèjí dào fāng-
fāng-miànmiàn, háiyǒu dàliàng gōngzuò
yào zuò.

Lín Yùwǎn: Zhèr de jiāotōng liúliàng shì duōshao?

Cuī Zhízhōng: Měi xiǎoshí láiwǎng chēliàng dàyuē shì
wǔqiān wǔbǎi zhì liùqiān liàng ba!

Miáo Qiūpíng:Zhème duō chē, zàoyīn wūrǎn yě ràng rén
shòubuliǎo!

Cuī Zhízhōng:Duì fángzhǐ zàoyīn wūrǎn, wǒmen cǎiqǔ le
yìxiē cuòshī.

Féng Yīngcái:Wǒmen zài yìxiē zàoyīn rǎomín de dìfang,
jiànle géyīnqiáng.

Bǐ'ěr: Wǒmen dàjiā dōu zhīdao, zàochéng huán-
jìng wūrǎn de yīnsù hěn duō.

Lín Yùwǎn: Yīnggāi shuō, huánjìng wūrǎn shì yí ge
quánqiúxìng wèntí.

Miáo Qiūpíng: Zánmen zài dào lìngwài jǐ gè jiāncèdiǎn
kànkan ba!

Cuī Zhízhōng: Hǎo.

Environmental Protection

(In a street with busy traffic, Lin Yuwan and
her party are studying the environmental condi-
tions.)

Feng Yingcai: In recent years, the environmental condi-
tions of our city have greatly improved.

Lin Yuwan: I have firsthand experience for this. More
than 20 years ago, you could see chimneys
with thick smoke in many places, and the
sky was gloomy. Now it is much better.

Cui Zhizhong: But the number of motor vehicles in our
city has increased too rapidly, and the
pollution from the car exhaust has become
a serious problem.

Feng Yingcai: That's true. Recently we ran a check and
found that the volume of discharged ex-

haust from many cars exceeded the Grade 2 standard of the state regulations.

Bill: When I first arrived, I couldn't get used to it.

Miao Qiuping: But now you are?

Bill: I should say yes, but after all, this kind of air pollution is harmful to health.

Cui Zhizhong: We treat this problem very seriously, and demand strict monitoring and control over the discharge of tail gas.

Miao Qiuping: The discharge of exhaust has to do with the quality of the gas used. Is that right?

Bill: The function of the vehicle and the maintenance are important factors too.

Lin Yuwan: I think that keeping a smooth running of the traffic can also reduce pollution.

Cui Zhizhong: Indeed, environmental protection involves many different sections, and much remains to be done.

Lin Yuwan: What's the volume of traffic flow here?

Cui Zhizhong: About 5500-6000 vehicles per hour.

Miao Qiuping: With so many cars, the noise pollution is unbearable.

Cui Zhizhong: We have already taken measures to prevent noise pollution.

Feng Yingcai: We have built soundproof walls where noises disturb the residents.

Bill: We all know that many factors cause environmental pollution.

Lin Yuwan: We should say that environmental pollution is a global problem.

Miao Qiuping: Let's go to have a look at some other monitoring points.

Cui Zhizhong: O. K.

生　　词
New Words

状况	zhuàngkuàng	condition
改善	gǎishàn	improve
亲身	qīnshēn	personal, firsthand
感受	gǎnshòu	experience, feel
烟囱	yāncōng	chimney
机动	jīdòng	power-driven, motorized
尾气	wěiqì	tail gas
污染	wūrǎn	pollution
严重	yánzhòng	serious, grave
检查	jiǎnchá	check up, inspect
排放	páifàng	discharge, let out
毕竟	bìjìng	after all
监控	jiānkòng	monitor and control
质量	zhìliàng	quality
汽油	qìyóu	petrol, gasoline

性能	xìngnéng	function
保养	bǎoyǎng	maintenance
保持	bǎochí	keep
畅通	chàngtōng	unimpeded，unblocked
减少	jiǎnshǎo	reduce
涉及	shèjí	involve，relate to
流量	liúliàng	volume of flow
噪音	zàoyīn	noise
防止	fángzhǐ	prevent
采取	cǎiqǔ	adopt，take
措施	cuòshī	measure
隔音	gé yīn	soundproof
因素	yīnsù	factor
监测	jiāncè	monitor

重点句
Key Sentences

1. 我市的环境状况有了很大改善。

   Wǒ shì de huánjìng zhuàngkuàng yǒule hěn dà gǎishàn.

   The environmental conditions of our city have greatly improved.

2. 这种空气污染毕竟对人体有害。

   Zhè zhǒng kōngqì wūrǎn bìjìng duì réntǐ yǒuhài.

   After all, this kind of air pollution is harmful to human

health.

3. 我们十分重视这个问题。

Wǒmen shífēn zhòngshì zhège wèntí.

We treat this problem very seriously.

4. 对防止噪音污染,我们采取了一些措施。

Duì fángzhǐ zàoyīn wūrǎn, wǒmen cǎiqǔ le yìxiē cuòshī.

We have already taken measures to prevent noise pollution.

5. 造成环境污染的因素很多。

Zàochéng huángjìng wūrǎn de yīnsù hěn duō.

Many factors cause environmental pollution.

6. 环境污染是一个全球性问题。

Huánjìng wūrǎn shì yí ge quánqiúxìng wèntí.

Environmental pollution is a global problem.

注　释
Notes

1. **第二个重点句:空气污染毕竟对人体有害。**

　　句中的“毕竟”是个副词,强调事物的性质、状态、特点,不管怎么说,终归都是这样,即使出现了新情况,也不能否认。比如我们问:“人们讨厌汽车尾气污染,为什么还离不开汽车呢?”你可能回答:“有了汽车,毕竟做什么事都方便。”“毕竟”还常与关连词“虽然”配对一起用。例如,“这本书虽然有不少错字,毕竟是一本好书。”“环境污染虽然还比较严重,毕竟比过去好多了。"

Key Sentence No. 2: After all, this kind of air pollution is harmful to human health.

毕竟 in the sentence is an adverb, which emphasizes that, come what may, the quality, state and characteristics of something remain the same after all. Even if some new conditions emerge, this cannot be denied. For instance, when we ask: "Since people dislike the pollution caused by the exhaust from cars, why can't they do without cars then?", you may answer: "With cars, everything becomes more convenient after all. " 毕竟 is often used together with the connective 虽然, e. g. "In spite of a number of wrongly spelt words, this is a good book after all", "Although the environmental pollution is still bad, after all, it is much better than it used to be. "

2. 相关文化背景知识:

环境污染是一个全球性问题。世界各国对环境污染及其控制,都十分重视。联合国还成立了环境保护与社会发展组织。中国政府把原来在北京市区的一些污染严重的工厂迁到了郊区;在"三北"(东北、华北、西北)地区和北京郊区大量植树造林,抵挡西北风沙,净化空气;保护密云水库一泓清水,提高了北京市的用水质量;对工业污染实行严格监控和大规模的技术改造,最大限度地降低污染程度,等等。现在的北京,是一个空气清新、市容整洁、绿树成荫、鲜花遍地的美丽城市。

Cultural Background:

Environmental pollution is a global problem. All

countries are very much concerned with environmental pollution and its control. The United Nations has established an organization for environmental protection and social development. Beijing has made great efforts to protect the environment. For instance, it has moved a number of factories causing serious pollution from the city to the outskirts. The municipal government has exercised strict monitoring and control over industrial pollution and carried out large-scale technical innovations so as to bring pollution to the minimum. Afforestation in the northeast, north and northwest of China and in Beijing's suburbs has blocked sandstorms from the northwest and made the air clearer. It has safeguarded the purity of the water in Miyun Resevoir, thus raising the quality of Beijing's water supply. Beijing today is a beautiful city with cleaner air, clear and tidy appearance, trees shading the streets, and flowers blossoming everywhere.

练　习
Exercises

一、**组词后写拼音** (Complete the following phrases and then give the phonetic notation):

____状况　　超过____　　采取____　　发现____

____污染　　交通____　　____习惯　　____问题

二、**选择正确的词语填空** (Choose the right word to fill in each of the following blanks)：

    1. 我市的环境状况有了很大＿＿＿。（改善、变化）

    2. 造成环境污染的＿＿＿很多。（原因、因素）

    3. 这种空气污染＿＿＿对人体有害。（毕竟、到底）

    4. 我们十分＿＿＿这个问题。（看重、重视）

三、**听录音，回答下列问题** (Listen to the recording and then answer the following questions)：

    1. 在林玉婉的记忆中，20 多年前北京的环境状况是什么样？

    2. 比尔对北京的环境有什么感受？

    3. 怎样才能减少北京的城市污染？

    4. 林玉婉说："环境污染是一个全球性问题。"这话是什么意思？

四、**把下面的词组成句子** (Unscramble the following into normal sentences)：

    1. 改善　大　很　环境　有　状况　了

    2. 害　空气　种　这　毕竟　对　有　污染

人体

3. 问题 污染 环境 个 一 全球性 是

4. 措施 采取 污染 防止 对 我们 噪音
   了

五、回答问题（Answer the following questions）：

1. 你对北京的交通有什么看法？

2. 你对北京的环境卫生有什么看法？

3. 贵国政府在环保（环境保护）方面采取了哪些措
   施？

第八课　专业化与全面协作

（林玉婉等人参观某汽车配件厂。）

吴国栋：玉婉，你觉得怎么样？

林玉婉：这个厂的技术设备和生产环境都不错，车间生产实现了高效、清洁、有序！

吴国栋：几年前，这儿还是个不起眼的乡镇企业。

林玉婉：发展得真快！这个厂现在有多少职工？

徐厂长：1000 多人。

李　莎：师傅，你加工的是什么？

工　人：汽车仪表。

李　莎：质量怎么样？

工　人：很好！

吴国栋：你看，他们还投资建设了一条汽车发动机生产线，年产 30 万台，专为一家汽车厂生产配套产品。

林玉婉：他们很有远见。现代工业要求专业化和世界性的全面协作。

李　莎：有一项资料说明，像德国大众这样的国际名牌车，零部件来自英、美、法、日等 8 个国家；法国雷诺公司的零部件，来自 900 多家专业公司。

吴国栋：这就说明了，专业化程度越高，零部件质量就越好，整机才有可能完美无瑕。

林玉婉：是这样。可以说，当今世界，没有真正的"美国造"、"日本造"、"德国造"汽车。谁专业化程度高，谁全面协作搞得好，谁就有优势。

徐厂长：我们正在学习这些好经验。

吴国栋：我们开发汽车零部件的投资力度，远远大于整车生产的投资力度。

林玉婉：看来，我们的意见是一致的。徐厂长，我们可以成为很好的合作伙伴。

徐厂长：很高兴听到你这样说。

林玉婉：我们愿意跟你们合资建设汽车配件厂。

徐厂长：兴建的合资项目必须是最先进的，而且要保证实现国产化。

林玉婉：徐厂长，请放心吧！我们的一些专利，都是下个世纪汽车工业所不可缺少的。

徐厂长：那么，明天我们进一步协商，好吗？

林玉婉：好的，明天谈。

Zhuānyèhuà yǔ Quánmiàn Xiézuò

(Lín Yùwǎn děng rén cānguān mǒu qìchē pèijiàn chǎng.)

Wú Guódòng：　Yùwǎn, nǐ juéde zěnmeyàng?

Lín Yùwǎn：　　Zhège chǎng de jìshù shèbèi hé shēng chǎn huánjìng dōu búcuò, chējiān shēngchǎn shíxiàn le gāoxiào, qīngjié, yǒuxù!

Wú Guódòng:	Jǐ nián qián, zhèr háishì ge bù qǐyǎn de xiāngzhèn qǐyè.
Lín Yùwǎn:	Fāzhǎn de zhēn kuài! Zhè ge chǎng xiànzài yǒu duōshao zhígōng?
Xú chǎngzhǎng:	Yìqiān duō rén.
Lǐ Shā:	Shīfu, nǐ jiāgōng de shì shénme?
Gōngrén:	Qìchē yíbiǎo.
Lǐ Shā:	Zhìliàng zěnmeyàng?
Gōngrén:	Hěn hǎo!
Wú Guódòng:	Nǐ kàn, tāmen hái tóuzī jiànshè le yìtiáo qìchē fādòngjī shēngchǎnxiàn, niánchǎn sānshí wàn tái, zhuān wèi yì jiā qìchēchǎng shēngchǎn pèitào chǎnpǐn.
Lín Yùwǎn:	Tāmen hěn yǒu yuǎnjiàn. Xiàndài gōngyè yāoqiú zhuānyèhuà hé shìjièxìng de quánmiàn xiézuò.
Lǐ Shā:	Yǒu yí xiàng zīliào shuōmíng, xiàng Déguó Dàzhòng zhèyàng de guójì míngpái chē, língbùjiàn láizì Yīng Měi Fǎ Rì děng bā ge guójiā; Fǎguó Léinuò Gōngsī de língbùjiàn, láizì jiǔbǎi duō jiā zhuānyè gōngsī.
Wú Guódòng:	Zhè jiù shuōmíng le, zhuānyèhuà chéngdù yuè gāo, língbùjiàn zhìliàng jiù yuè hǎo, zhěngjī cái yǒu kěnéng wánměi wúxiá.

Lín Yùwǎn: Shì zhèyàng. Kěyǐ shuō, dāngjīn shìjiè, méiyǒu zhēnzhèng de "Měiguó zào", "Rìběn zào", "Déguó zào" qìchē. Shuí zhuānyèhuà chéngdù gāo, shuí quánmiàn xiézuò gǎo de hǎo, shuí jiù yǒu yōushì.

Xú chǎngzhǎng: Wǒmen zhèngzài xuéxí zhèxiē hǎo jīngyàn.

Wú Guódòng: Wǒmen kāifā qìchē língbùjiàn de tóuzī lìdù, yuǎnyuǎn dàyú zhěngchē shēngchǎn de tóuzī lìdù.

Lín Yùwǎn: Kànlái, wǒmen de yìjiàn shì yízhì de. Xú chǎngzhǎng, wǒmen kěyǐ chéngwéi hěn hǎo de hézuò huǒbàn.

Xú chǎngzhǎng: Hěn gāoxing tīngdào nǐ zhèyàng shuō.

Lín Yùwǎn: Wǒmen yuànyì gēn nǐmen hézī jiànshè qìchē pèijiàn chǎng.

Xú chǎngzhǎng: Xīngjiàn de hézī xiàngmù bìxū shì zuì xiānjìn de, érqiě yào bǎozhèng shíxiàn guóchǎnhuà.

Lín Yùwǎn: Xú chǎngzhǎng, qǐng fàngxīn! Wǒmen de yìxiē zhuānlì, dōu shì xià ge shìjì qìchē gōngyè suǒ bùkě quēshǎo de.

Xú chǎngzhǎng: Nàme, míngtiān wǒmen jìnyíbù xié shāng, hǎo ma?

Lín Yùwǎn: Hǎo de, míngtiān tán.

Specialization and All-Round Cooperation

(Lin Yuwan and her party are visiting an auto parts factory.)

Wu Guodong: Yuwan, what do you think?

Lin Yuwan: Both the technological equipment and the production environment of this factory are good. They have achieved efficient, clean and orderly production in the workshops.

Wu Guodong: Several years ago, it was but a township enterprise that didn't attract any attention.

Lin Yuwan: What a rapid development! How many staff and workers does the factory have?

Director Xu: More than 1,000.

Li Sha: Sir, what are you processing?

Worker: Auto instruments.

Li Sha: How's the quality?

Worker: Very good.

Wu Guodong: Look, they have invested in the construction of a production line for auto engines, with an annual capacity of 300,000. This is specially produced as accessories for an auto factory.

Lin Yuwan: They are far-sighted. Modern industry requires specialization and full, worldwide cooperation.

Li Sha: As shown by a material, Germany's world-renowned volkswagon has its parts coming from eight countries including Britain, the U. S. , France and Japan. The French Renault has its parts coming from more than 900 specialized companies.

Wu Guodong: This shows that the greater the specialization, the better the parts and components. And only in this way, can perfect cars be made.

Lin Yuwan: That's right. We may say that there are no real U. S. -made, Japan-made, or Germany-made cars. Whoever has a higher degree of specialization and better all-round cooperation would have the advantage.

Director Xu: We are learning from their successes.

Wu Guodong: Our investment in developing auto parts far surpasses that in the production of whole cars.

Lin Yuwan: It seems we are of the same opinion. Director Xu, we can be very good partners for cooperation.

Director Xu： Very glad to hear you say so.

Lin Yuwan： We are willing to form a joint venture with you to produce auto parts.

Director Xu： The joint venture project to be developed must use the most advanced technology and ensure domestication.

Lin Yuwan： Director Xu，please rest assured. Some of our patents are indispensable for the auto industry of the 21st century.

Director Xu： Then，we'll have further discussion tomorrow. Will that be all right?

Lin Yuwan： Fine. We'll have discussion tomorrow.

生　词
New Words

高效	gāoxiào	highly efficient
有序	yǒuxù	orderly
不起眼	bùqǐyǎn	not attract attention
乡镇	xiāngzhèn	villages and towns
汽车仪表	qìchē yíbiǎo	auto instrument
发动（机）	fādòng(jī)	start（engine，motor）
配套	pèitào	form a complete set or system
远见	yuǎnjiàn	far-sighted

全面	quánmiàn	overall, all-round
协作	xiézuò	cooperation
来自	láizì	come from
程度	chéngdù	extent, degree
完美无瑕	wánměi-wúxiá	perfect, flawless
力度	lìdù	dynamics
兴建	xīngjiàn	build, construct
缺少	quēshǎo	lack, be in want of

重点句
Key Sentences

1. 车间生产实现了高效、清洁、有序！

   Chējiān shēngchǎn shíxiàn le gāoxiào, qīngjié, yǒuxù!

   They have achieved efficient, clean and orderly production in the workshops.

2. 现代工业要求专业化和世界性的全面协作。

   Xiàndài gōngyè yāoqiú zhuānyèhuà hé shìjièxìng de quánmiàn xiézuò.

   Modern industry requires specialization and full, worldwide cooperation.

3. 专业化程度越高，零部件质量就越好。

   Zhuānyèhuà chéngdù yuè gāo, língbùjiàn zhìliàng jiù yuè hǎo.

   The greater the specialization, the better the parts and components.

4. 我们正在学习这些好经验。

Wǒmen zhèngzài xuéxí zhèxiē hǎo jīngyàn.

We are learning from their successes.

5. 我们的意见是一致的。

Wǒmen de yìjiàn shì yízhì de.

We are of the same opinion.

6. 兴建的合资项目必须是最先进的。

Xīngjiàn de hézī xiàngmù bìxū shì zuì xiānjìn de.

The joint venture project to be developed must use the most advanced technology.

注　释
Notes

1. **第三个重点句：专业化程度越高，零部件质量就越好。**

　　汉语中的"越"字可以叠用，成"越……越……"，表示事情的程度随着条件的发展而发展。这是一个常用的固定格式。例如，"产品质量越好，越容易占领市场"。前面一个分句是讲条件的变化，后一个分句是讲随着前面的条件变化而变化的结果。还可以三个"越"字叠用，例如"专业分工越细，零部件的质量越高，整车的质量也就越高"。"越来越"也是常用的格式，表示事物的程度随时间的变化而变化，例如"现代工业的专业化程度越来越高"。

Key Sentence No. 3： The greater the specialization, the better the parts and components.

　　越 in Chinese can be repeated as in the pattern of 越

… 越 … (the … the …), expressing the idea that the extent of something develops along with the development of the conditions. This is quite a fixed format, e. g. , "The better the quality of the products, the easier it will be to seize the market. " The first clause talks about the changes of the conditions, and the second clause tells the result from such changes. 越 can even be repeated three times, e. g. , "The greater the specialization, the better the parts and components, and the better the quality of the cars. " 越来越 (more and more) is also often used, expressing the idea that the extent of something changes with the passage of time, e. g. , "Modern industry has become more and more specialized. "

2. 相关文化背景知识：

本课中介绍的汽车配件厂，是一家在乡镇企业基础上发展起来的工厂。乡镇企业，是中国实行改革开放以后才出现的。改革开放后，中国的农民逐渐有了商品意识，懂得了"无商不活"的道理，开始经商，从事手工业加工，以后又办起了工厂和第三产业的公司。现在，他们的经营活动，涉及到各个经贸领域。从经营规模、经济效益和上交利税来看，乡镇企业已经成为我国国民经济中的半壁江山，工业总产值已经超过全国工业总产值的 50%。1995 年，中国评选出最大经营规模乡镇企业 1000 家，年营业额高达 2400 亿元，实现利税总额 247 亿元。蜚声中外的广东科龙电器股份有限公司，江苏华西集团公司等都是乡镇企业发展起来的大型企业集团。

Cultural Background：

The auto parts factory referred to in this lesson has developed from a township enterprise. Township enterprises came into being only after China's reform and opening. Then, the Chinese peasants gradually developed a consciousness of commodities, and came to understand that without commerce the rural economy could not be vigourous. So they started going into business. First they were engagd in manual processing, and then they started running factories and companies in the service sector. Now their business activities have spread to all areas of the economy and trade. Judging from the management scale, economic benefit, and the profit and tax revenue turned in, township enterprises have held up half of the national economy. The gross value of their industrial output has exceeded 50% of the national total. In 1995, the 1,000 biggest township enterprises have a turnover of 240 billion yuan, turning in 24.7 billion yuan profits and taxes. The world-famous Kelong Electrical Appliances Company Ltd. in Guangdong and the Huaxi Company Group in Jiangsu are both large-scale enterprise groups developed from township enterprises.

练　习
Exercises

一、组词后写拼音（Complete the following phrases and

then give the phonetic notation）：

实现____ ____项目 ____程度 协商____

____协作 配套____ 缺少____ ____保证

二、选择正确的词语填空 （Choose the right word to fill in each of the following blanks）：

1. 现代工业要求专业化和世界性的全面____。（协作、合作）

2. 我们的意见是____的。（一样、一致）

3. ____合资项目必须是最先进的。（兴建、建设）

4. 车间生产____了高效、清洁、有序！（实现、实行）

三、听录音，回答下列问题 （Listen to the recording and then answer the following questions）：

1. 徐厂长所在的汽车配件厂原先是什么单位？现在有多少人？条件如何？能力如何？

2. 徐厂长说："我们正在学习这些好经验。"他指的是什么经验？

3. 徐厂长对合资项目的要求是什么？

4. 林玉婉对徐厂长说，她们公司有什么专利？

四、把下面的词组成句子 (Unscramble the following into normal sentences)：

1. 协作 工业 现代 全面 世界性 的 要求

2. 经验 学习 这 好 些 我们 正在

3. 越 越 程度 质量 好 专业化 零部件 就 高 的

4. 我们 一致 的 意见 是 的

5. 协商 我们 进 明天 一步

五、回答问题 (Answer the following questions)：

1. 请举出一、二个国际名牌产品，说明它们的零部件都来自哪些国家？

2. 你认为现代化工业要求什么条件？

3. 中国对兴建合资项目有什么要求？

第九课　市场定位

（林玉婉与公司职员讨论市场定位问题。）

林玉婉：对不起，刚刚接了个电话。今天，我们主要研究公
　　　　司开拓中国市场的定位问题。比尔、李莎，开始
　　　　吧。

比　尔：经过一段时间的市场调查，可以说，基本上弄清
　　　　楚了我们的竞争对手的情况。

林玉婉：大家注意对照手里的那份材料。

比　尔：大家请看这张产品定位图。

李　莎：首先看 A 公司，他们在中国市场上主要经营高
　　　　级豪华轿车，几个品牌都是世界名牌。

比　尔：这种车，售价太高，市场需求有限。

李　莎：B 公司，经营中档系列车，在中国销售量最大。他
　　　　们占有 50% 的市场份额。

林玉婉：目前，中国汽车市场上，私人买车量还很小。因
　　　　此，中、高档轿车，最适应顾客的消费心理。

李　莎：C 公司，有经营特色。目前，它的特约维修网点已
　　　　经遍及全中国。

赵雨生：这个问题不解决，如果车坏了，没地儿修，就是手
　　　　里有钱，也不敢买车。

苗秋萍：就一个鸡蛋的家当，万一打破了，那怎么得了？

林玉婉：所以，我们一定要把售后服务业搞好。

李　　莎：D公司，一向以开发力强著称，不断推出新车型。

苗秋萍：他们还有一些技术难题没有解决呢！

林玉婉：但他们的新型车，潜在市场很大，不能轻视。

李　　莎：大家看，在高质与实用之间还留有一片空白。

比　　尔：我们应该以生产轻型、微型汽车和零部件为主。

赵雨生：我补充一点。价格要低廉，但也要舒适、美观、实用。

林玉婉：低价格和高品质是一对矛盾，大家深入讨论讨论吧！

Shìchǎng Dìngwèi

(Lín Yùwǎn yǔ gōngsī zhíyuán tǎolùn shìchǎng dìngwèi wèntí.)

Lín Yùwǎn：　Duìbuqǐ, gānggāng jiēle ge diànhuà. Jīntiān, wǒmen zhǔyào yánjiū gōngsī kāituò Zhōngguó shìchǎng de dìngwèi wèntí. Bǐ'ěr, Lǐ Shā, kāishǐ ba.

Bǐ'ěr：　Jīngguò yí duàn shíjiān de shìchǎng diàochá, kěyǐ shuō, jīběnshàng nòng qīngchu le wǒmen de Jìngzhēng duìshǒu de qíngkuàng.

Lín Yùwǎn：　Dàjiā zhùyì duìzhào shǒulǐ de nà fèn cáiliào.

Bǐ'ěr：　Dàjiā qǐng kàn zhè zhāng chǎnpǐn dìngwèi tú.

Lǐ Shā: Shǒuxiān kàn A gōngsī, tāmen zài Zhōng-guó shìchǎng shàng zhǔyào jīngyíng gāojí háohuá jiàochē, jǐ gè pǐnpái dōu shì shìjiè míngpái.

Bǐ'ěr: Zhè zhǒng chē, shòujià tài gāo, shìchǎng xūqiú yǒuxiàn.

Lǐ Shā: B gōngsī, jīngyíng zhōngdàng xìliè chē, zài Zhōngguó xiāoshòuliàng zuì dà. Tāmen zhànyǒu bǎifēn zhī wǔshí de shìchǎng fèn'é.

Lín Yùwǎn: Mùqián, Zhōngguó qìchē shìchǎngshàng, sīrén mǎi chē liàng hái hěn xiǎo. Yīncǐ, zhōng, gāo dàng jiàochē, zuì shìyìng gùkè de xiāofèi xīnlǐ.

Lǐ Shā: C gōngsī, yǒu jīngyíng tèsè. Mùqián, tā de tèyuē wéixiū wǎngdiǎn yǐjīng biànjí quán Zhōngguó.

Zhào Yǔshēng: Zhè ge wèntí bù jiějué, rúguǒ chē huài le, méi dìr xiū, jiùshì shǒulǐ yǒu qián, yě bù gǎn mǎi chē.

Miáo Qiūpíng: Jiù yí ge jīdàn de jiādàng, wànyī dǎpò le, nà zěnme déliǎo!

Lín Yùwǎn: Suǒyǐ, wǒmen yídìng yào bǎ shòuhòu fú-wùyè gǎohǎo.

Lǐ Shā: D gōngsī, yíxiàng yǐ kāifālì qiáng zhù-chēng, búduàn tuīchū xīn chēxíng.

Miáo Qiūpíng: Tāmen háiyǒu yìxiē jìshù nántí méiyǒu
jiějué ne!

Lín Yùwǎn: Dàn tāmen de xīnxíngchē, qiánzài shì-
chǎng hěn dà, bùnéng qīngshì.

Lǐ Shā: Dàjiā kàn, zài gāozhì yǔ shíyòng zhījiān
hái liúyǒu yí piàn kòngbái.

Bǐ'ěr: Wǒmen yīnggāi yǐ shēngchǎn qīngxíng,
wēixíng qìchē hé língbùjiàn wéi zhǔ.

Zhào Yǔshēng: Wǒ bǔchōng yìdiǎn, jiàgé yào dīlián, dàn
yě yào shūshì, měiguān, shíyòng.

Lín Yùwǎn: Dī jiàgé hé gāo pǐnzhì shì yíduì máodùn,
dàjiā shēnrù tǎolùn tǎolùn ba!

Positioning in the Market

(Lin Yuwan and her staff are discussing the
problem of positioning in the market.)

Lin Yuwan: I'm sorry. I just went to answer a tele-
phone call. Today we'll mainly discuss
the problem of positioning our company
in developing the Chinese market. Bill
and Li Sha, let's begin.

Bill: After studying the market for a period of
time, I can say that we have basically
made clear the conditions of our competi-

tors.

Lin Yuwan: Everybody please check the document in front of you.

Bill: Please look at the chart of product positioning.

Li Sha: Let's first look at Company A. They mainly deal in high quality luxurious limousines in the Chinese market. Several of their brands are world famouse.

Bill: For this kind of car, the selling price is very high and the market demand is limited.

Li Sha: Company B deals in a series of moderate cars. They enjoy the largest sales volume in China, having a 50% market share.

Lin Yuwan: At present, the number of private cars is still small, and therefore, the medium- and high-grade cars suit best with the mentality of the consumers.

Li Sha: Company C has its own characteristics. Its network of approved repair shops has spread all over China.

Zhao Yusheng: If this problem is not properly solved, and there is no place to repair cars out of order, people do not dare to buy cars even if they have the money.

Miao Qiuping: This is like the case that all one has is just

	one egg. If by any chance it is broken, what a terrible thing it would be!
Lin Yuwan:	So we'll have to do a good job in after-sale service.
Li Sha:	Company D has always been known for its growth potential. They constantly put forward new models.
Miao Qiuping:	They still have some difficult technological problems to solve.
Lin Yuwan:	But their new models have a big potential market, which should not be neglected.
Li Sha:	Please look here. There is still a blank space between high quality and practical use.
Bill:	We should mainly produce light mini-cars and parts and components.
Zhao Yusheng:	I have a point to add. The price should be low, but the cars should be comfortable, pleasing to the eye, and functional.
Lin Yuwan:	Low price and high quality form a pair of contradiction. Please have more thorough discussions about them.

生　　词
New Words

开拓	kāituò	open up，develop
基本	jīběn	basic，fundamental
对照	duìzhào	compare，contrast
材料	cáiliào	material，data
豪华	háohuá	luxurious
品牌	pǐnpái	brand
经营	jīngyíng	deal in，manage
系列	xìliè	series
占有	zhànyǒu	have，occupy
份额	fèn'é	share，portion
心理	xīnlǐ	psychology，mentality
特约	tèyuē	engage by special arrangement
维修	wéixiū	service，maintain
网点	wǎngdiǎn	a network of commercial establishments
遍及	biànjí	spread all over
家当	jiādàng	property，family belongings
推出	tuīchū	introduce，put out
潜在	qiánzài	potential
轻视	qīngshì	look down on，neglect
补充	bǔchōng	add，supplement
低廉	dīlián	cheap，low

舒适	shūshì	comfortable
矛盾	máodùn	contradiction
深入	shēnrù	thorough, deep going

重点句
Key Sentences

1. 几个品牌都是世界名牌。
   Jǐ ge pǐnpái dōu shì shìjiè míngpái.
   Several of their brands are world famous.
2. 售价太高,市场需求有限。
   Shòujià tài gāo, shìchǎng xūqiú yǒuxiàn.
   The selling price is very high and the market demand is limited.
3. 他们占有 50% 的市场份额。
   Tāmen zhànyǒu bǎifēn zhī wǔshí de shìchǎng fèn'é.
   They have a 50% market share.
4. 它的特约维修网点已经遍及全中国。
   Tā de tèyuē wéixiū wǎngdiǎn yǐjīng biànjí quán Zhōngguó.
   Its network of approved repair shops has spread all over China.
5. D 公司,一向以开发力强著称。
   D gōngsī, yíxiàng yǐ kāifālì qiáng zhùchēng.
   Company D has always been known for its strong growth potential.

6. 低价格和高品质是一对矛盾。

   Dī jiàgé hé gāo pǐnzhì shì yí duì máodùn.

   Low price and high quality are contradictory.

注　释
Notes

1. **第五个重点句：D 公司，一向以开发力强著称。**

    句中的"一向"，副词，表示从过去到现在。这个重点句的意思是，D 公司从过去到现在的产品开发能力都很强。又例如，"你的身体一向都好吗？""我们公司的经营效益一向都很不错。"

    "以……著称"是一个古汉语格式。"以"，介词，是"用、因、凭、依靠"等意思。这个重点句的意思是说，D 公司从过去到现在都因它的产品开发力强而在世界上很有名。"以……为"也是一种常见的格式，比如这集中有"C 公司以周到、优良的售后服务为经营特色"。

Key Sentence No. 5： Company D has always been known for its growth potential.

    一向 (always) in this sentence is an adverb, meaning from the past up to the present. This key sentence means that Company D has, from the past up to the present, had good potential in developing new products. Here are some other examples："Have you always been in good health?" "The economic benefit of our company has always been good."

以⋯著称（be known for）is a set expression of ancient Chinese. 以 is a preposition meaning "with, because of, by, or relying on". This key sentence means that Company D has always been world-famous for its growth potential. 以⋯为（take…as）is also often-used. For instance, we may say "Company C is characterized by its well-considered good after-sale service."

2. 相关文化背景知识：

中国人把小汽车叫"轿车"。中国从前有一种供人乘坐的交通工具，叫"轿子"，是由两人、四人、八人甚至更多的人抬着走的。这种交通工具，现在在一些民俗旅游场所还可以看到。过去，新娘出嫁，都要坐轿子；有钱人出门，坐轿子；当官的出门，也坐轿子。抬轿子的人越多，说明坐轿子的人的身份和地位越高。这个风俗，在汉语中有不少反映，比如，不愿意给邀请人面子，就说"你就是拿八抬大轿来抬我，我也不去"。又比如，形容讨好上司或者有权势的人，为这种人捧场、助威，就说"有人出轿子，就有人抬轿子"。"轿车"，不是一般交通工具，它在炫耀坐车人的身份和地位方面的作用，与中国的"轿子"有相似之处。这大概是中国人把小汽车叫"轿车"的原因。

Cultural Background：

The Chinese refer to cars as "sedan cars". China used to have a means of transportation called "sedan", which was carried by two, four, eight, or even more people. Sedans can still be seen in some folk custom tourist resorts. In the past, sedans were used when a bride got married, or when the rich people or officials went out.

The more carriers for the sedan, the higher the status and position of the person sitting in it. This custom is much reflected in the Chinese language. For instance, when you do not want to save face for an inviter, you may say: "I won't go even if you send a sedan with eight carriers to pick me up." When you describe a person who curries favour with his superior or someone of great influence by flattery and blarney, you may say: "When someone wants to sit in a sedan, there are always some who are willing to carry it." A sedan car is not an ordinary means of transportation. It also shows off the status and position of the one in the car. This is similar to the sedan in China. This is probably the reason why the Chinese call a car "sedan car".

练 习
Exercises

一、**组词后写拼音** (Complete the following phrases and then give the phonetic notation):

开拓＿＿＿ 价格＿＿＿ 开发＿＿＿ 遍及＿＿＿

＿＿＿网点 ＿＿＿调查 ＿＿＿服务 ＿＿＿特色

二、**选择正确的词语填空** (Choose the right word to fill in each of the following blanks):

1. 主要研究公司＿＿＿中国市场的定位问题。(开发、

开拓）

2. 他们＿＿＿50％的市场份额。（占有、占领）

3. 它的特约维修网点已经＿＿＿全中国。（遍及、遍布）

4. 他们还有一些技术＿＿＿没有解决呢。（难关、难题）

5. 他们的新型车，潜在市场很大，不能＿＿＿。（忽视、轻视）

三、**听录音，回答下列问题** (Listen to the recording and then answer the following questions)：

1. 林玉婉召开公司职工开会研究什么问题？

2. A、B、C、D 四个公司各自经营什么产品，有何特色？

3. 比尔提出了什么建议？赵雨生补充时说了什么？

四、**把下面的词组成句子** (Unscramble the following into normal sentences)：

1. 高 矛盾 对 价格 一 低 和 品质 是

2. 公司 已经 北京 了 在 网点 特约 建成 维修

3. 有限 太 售价 高 需求 市场

4. 个　产品　是　世界　都　几　名牌　这

五、回答问题（Answer the following questions）：

1. 开拓市场，为什么首先要研究定位问题？

2. 研究市场定位，为什么要研究竞争对手的情况？

3. 林玉婉公司的定位，与 A、B、C、D 公司有什么不同？

第十课　合作伙伴

（林玉婉与吴国栋的一次会见。）

林玉婉：国栋，明天，我们双方要讨论合资企业的合同，我
　　　　想先听听你的意见。

吴国栋：根据我国《中外合资经营企业法》，合资公司是有
　　　　限责任公司。所以，得首先有一个好的公司名称。

林玉婉：我想了一个，叫兴华汽车有限公司，怎么样？

吴国栋：我明白，你用"兴华"二字，含义是要为振兴中华
　　　　尽一点力，对吧？

林玉婉：多年的愿望，总算实现了。

吴国栋：我再提醒一点。讨论中，双方出资额、出资比例、
　　　　出资方式，都可能需要反复磋商。

林玉婉：我认为，这些问题不会遇到麻烦。根据合资企业
　　　　法的规定，外国合营者的出资比例一般不低于
　　　　25％。只要你们同意，我们可以承担更高比例的
　　　　投资。

吴国栋：这对你们也有好处。合资各方是按出资比例分享
　　　　利润的。

林玉婉：不过，我们同样也分担风险和亏损。

吴国栋：对了，按规定，合资企业各方可以用现金，也可以
　　　　用实物、工业产权等作价出资。以货币出资的最
　　　　低限额为公司注册资本的50％。

林玉婉：这没问题。在出资期限内，我们的资金可以一次
　　　　到位。我认为，最重要的是合伙人。

吴国栋：你选中谁了？

林玉婉：你！

吴国栋：我？

林玉婉：对，就是你！你任总经理，我作你的副手！

吴国栋：不！我不合适！

林玉婉：为什么？是委屈了你，还是你怕接近我？

Hézuò Huǒbàn

(Lín Yùwǎn yǔ Wú Guódòng de yí cì huìjiàn.)

Lín Yùwǎn：　　Guódòng, míngtiān, wǒmen shuāngfāng
　　　　　　　yào tǎolùn hézī qǐyè de hétong, wǒ xiǎng
　　　　　　　xiān tīngtīng nǐ de yìjiàn.

Wú Guódòng：　Gēnjù wǒguó 《Zhōng-wài Hézī Jīngyíng
　　　　　　　Qǐyèfǎ》, hézī gōngsī shì yǒuxiàn zérèn
　　　　　　　gōngsī. Suǒyǐ, děi shǒuxiān yǒu yí gè
　　　　　　　hǎo de gōngsī míngchēng.

Lín Yùwǎn：　　Wǒ xiǎng le yí ge, jiào Xīnghuá Qìchē
　　　　　　　Yǒuxiàn Gōngsī, zěnmeyàng?

Wú Guódòng：　Wǒ míngbai, nǐ yòng "xīnghuá" èr zì,
　　　　　　　hányì shì yào wèi zhènxīng Zhōnghuá jìn
　　　　　　　yìdiǎn lì, duì ba?

Lín Yùwǎn：　　Duō nián de yuànwàng, zǒngsuàn shíxiàn

le.

Wú Guódòng： Wǒ zài tíxǐng yìdiǎn. Tǎolùn zhōng，shuāngfāng chūzī'é，chūzī bǐlì，chūzī fāngshì，dōu kěnéng xūyào fǎnfù cuōshāng.

Lín Yùwǎn： Wǒ rènwéi，zhèxiē wèntí búhuì yùdào máfan. Gēnjù hézī qǐyèfǎ de guīdìng，wàiguó héyíngzhě de chūzī bǐlì yìbān bù dī yú bǎifēn zhī èrshíwǔ，zhǐyào nǐmen tóngyì，wǒmen kěyǐ chéngdān gèng gāo bǐlì de tóuzī.

Wú Guódòng： Zhè duì nǐmen yě yǒu hǎochu. Hézī gèfāng shì àn chūzī bǐlì fēnxiǎng lìrùn de.

Lín Yùwǎn： Búguò，wǒmen tóngyàng yě fēndān fēngxiǎn hé kuīsǔn.

Wú Guódòng： Duì le，àn guīdìng，hézī qǐyè gèfāng kěyǐ yòng xiànjīn，yě kěyǐ yòng shíwù，gōngyè chǎnquán děng zuòjià chūzī. Yǐ huòbì chūzī de zuìdī xiàn'é wéi gōngsī zhùcè zīběn de bǎifēn zhī wǔshí.

Lín Yùwǎn： Zhè méi wèntí. Zài chūzī qīxiàn nèi，wǒmen de zījīn kěyǐ yí cì dàowèi. Wǒ rènwéi，zuì zhòngyào de shì héhuǒ rén.

Wú Guódòng： Nǐ xuǎnzhòng shuí le?

Lín Yùwǎn： Nǐ!

Wú Guódòng： Wǒ?

Lín Yùwǎn： Duì，jiùshì nǐ! Nǐ rèn zǒngjīnglǐ，wǒ zuò

nǐ de fùshǒu!

Wú Guódòng: Bù! Wǒ bù héshì!

Lín Yùwǎn: Wèishénme? Shì wěiqū le nǐ, háishì nǐ pà jiējìn wǒ?

Partner for Cooperation

(A meeting between Lin Yuwan and Wu Guodong.)

Lin Yuwan: Guodong, the two parties will discuss the joint venture contract tomorrow. I really would like to hear your comment first.

Wu Guodong: According to China's *Law of Sino-foreign Joint Venture Enterprises*, the joint venture is a limited-liability company. So first and foremost, the corporation must have a good name.

Lin Yuwan: I have thought of one. How about "Xinghua Automobile Corporation Ltd."?

Wu Guodong: I understand that "Xinghua" implies the meaning that you would like to contribute to the rejuvenation of China. Is that right?

Lin Yuwan: My long-cherished wish has at last come true.

Wu Guodong: I would like to remind you that the amount, proportion and mode of investment between the Chinese and foreign parties may need repeated consultations.

Lin Yuwan: I don't think there will be difficulties in these areas. According to the law related to joint ventures, the investment by the foreign party should not be lower than 25%. As long as you agree, we can take on a larger proportion of the investment.

Wu Guodong: And this is beneficial to you too. The parties to the joint venture will share profits in proportion to their investment.

Lin Yuwan: But we will share risks and losses in the same manner as well.

Wu Guodong: Right. According to the regulations, the parties to the joint venture can make investment either in cash, or in kind or industrial property. The lowest quota for money investment is 50% of the registered capital.

Lin Yuwan: There should be no problem. Within the capital-providing period, our funds will be transferred in a lump sum. I think the most important point is the partner for cooperation.

Wu Guodong: Who have you chosen?

Lin Yuwan：   You.

Wu Guodong：Me?

Lin Yuwan：   Yes, you. You can be the general manager
              and I will be your deputy.

Wu Guodong：No, I am not the right choice.

Lin Yuwan：   Why? Does the job do injustice to you or
              are you afraid of being too close with me?

生　　词
New Words

名称	míngchēng	name
含义	hányì	meaning, implication
振兴	zhènxīng	rejuvenate, develop vigorously
尽	jìn	try one's best
总算	zǒngsuàn	at long last, finally
实现	shíxiàn	realize, come true
提醒	tíxǐng	remind, call attention to
出资	chūzī	provide funds or capital
反复	fǎnfù	repeatedly, again and again
磋商	cuōshāng	consult, exchange views
合营	héyíng	jointly owned, jointly operated
比例	bǐlì	proportion, scale
分享	fēnxiǎng	share (joy, rights, etc.)
分担	fēndān	share responsibility for
亏损	kuīsǔn	loss, deficit

实物	shíwù	material object，in kind
产权	chǎnquán	property right
作价	zuòjià	fix a price for sth.，evaluate
货币	huòbì	money，currency
限额	xiàn'é	quota，norm
到位	dàowèi	arrive (at the proper place)
选中	xuǎnzhòng	pick and choose
合适	héshì	suitable，right
委屈	wěiqu	put sb. to great inconven-ience，do injustice to
接近	jiējìn	be close to

重点句
Key Sentences

1. 我们双方要讨论合资企业的合同。

   Wǒmen shuāngfāng yào tǎolùn hézī qǐyè de hétong.

   The two parties will discuss the joint venture contract.

2. 合资公司是有限责任公司。

   Hézī gōngsī shì yǒuxiàn zérèn gōngsī.

   The joint venture is a limited-liability company.

3. 我们可以承担更高比例的投资。

   Wǒmen kěyǐ chéngdān gèng gāo bǐlì de tóuzī.

   We can take on a larger proportion of the investment.

4. 合资各方是按出资比例分享利润的。

   Hézī gèfāng shì àn chūzī bǐlì fēnxiǎng lìrùn de.

The parties to the joint venture will share profits in proportion to their investment.

5. 我们同样也分担风险和亏损。

Wǒmen tóngyàng yě fēndān fēngxiǎn hé kuīsǔn.

We will share risks and losses in the same manner as well.

6. 我们的资金可以一次到位。

Wǒmen de zījīn kěyǐ yí cì dàowèi.

Our funds will be transferred in a lump sum.

注　释
Notes

1. 第四个重点句:合资各方是按出资比例分享利润的。

　　"按",介词,提出行为、动作所遵循的准则或依据。如"按合资企业法,各方出资可以用现金,也可以用实物作价"。句中的"合资企业法",就是合资各方出资的依据。在介词"按"的句子中涉及到的不同事物,常有一种比例关系。如"按质论价",意思是按商品质量的好坏决定价格,质量好的价格高,质量差的价格低,这是一种正比关系。这个重点句"按"字的用法就更典型。出资多的,就多分利润;出资少的,就少分利润。分得利润的多少,是"按出资比例"的。"按"也常说"按照"。

Key Sentence No. 4. The parties to the joint venture will share profits in proportion to their investment.

　　按 (according to) is a preposition, introducing the

principle or basis for a behaviour or action. For instance,
in "According to the joint venture law, the parties to the
joint venture can make investment either in cash, or in
kind", the "joint venture law" is the foundation for how
the parties make investment. Things mentioned in a sen-
tence with 按 often have a proportional relationship. For
instance, "base price on quality" means fixing prices ac-
cording to the quality, i. e., higher prices for higher-qual-
ity goods and lower prices for lower-quality goods. This is
in direct proportion. 按 in this key sentence is very typi-
cal. The party who has a larger share of the investment
will get a bigger share of the profit, and the one with a
smaller share will get less. The share of the profit ob-
tained is in proportion to their investment. 按 is often in-
terchangeable with 按照.

2. 相关文化背景知识:

中外合资经营企业、中外合作经营企业、外资(独资)企业,合称"三资企业",是我国实行改革开放政策的产物。为了鼓励外商来华投资,我国先后制订了《中外合资经营企业法》、《外资企业法》、《中外合作经营企业法》及其实施条例。这些法规,对外商(包括台湾、香港和澳门客商)投资企业的形式、出资、内部管理和可以享受的优惠政策,都做了明确的法律规定,对鼓励、吸引和规范外商投资和开展业务,正在发挥重要作用。

Cultural Background:

Sino-foreign joint ventures, Sino-foreign cooperative
enterprises, and soly foreign-invested enterprises are joint-

ly referred to as foreign-invested enterprises. They e-
merged as an outcome of China's open and reform policy.
In order to encourage foreign businessmen to make invest-
ments in China, the Chinese government successively pro-
mulgated *Law of Sino-Foreign Joint Ventures*, *Law of
Sino-Foreign Invested Enterprises*, and *Law of Sino-For-
eign Cooperative Enterprises* and their enforcement regula-
tions. They make clear statutory stipulations about the
form, amount of investment, internal management, and
preferential policies concerning enterprises with invest-
ment from foreign businessmen (including those from Tai-
wan, Hong Kong and Macau). They are playing an im-
portant role in encouraging and attracting foreign investors
and in regulating their investment and business be-
haviours.

练　习
Exercises

一、**组词后写拼音** (Complete the following phrases and
then give the phonetic notation):

____磋商　____利润　振兴____　____注册
承担____　分担____　提醒____　____继续

二、**选择正确的意思** (Choose the correct interpretation):
1. "你用兴华二字,含意是要为振兴中华尽一点力,对吗?"这句话的意思是：

①你用兴华二字,含意是要为振兴中华出一点点力。

②你用兴华二字,含意是要为振兴中华用尽你最后一点力气。

③你用兴华二字,含意是要为振兴中华只出一点点力,不多出力。

④你用兴华二字,含意是要为振兴中华出一些力。

2."多年的愿望,总算实现了。"在这儿的意思是：

①多年的愿望,总的来说是实现了。

②多年的愿望,应该说是实现了。

③多年的愿望,到底是实现了。

④多年的愿望,总的算起来是实现了。

3."你相中谁了?"这话的意思是：

①你这相片中是谁?

②谁和你互相中意了?

③你看见的人中有谁?

④你看谁最合你的心意?

三、**听录音,回答下列问题** (Listen to the recording and then answer the following questions)：

1. 林玉婉的合资公司叫什么名字? 它有什么含意?

2. 按合资企业法的规定,外国合营者的出资比例是多少?

3. 合资各方是根据什么分享利润的？

4. 按规定合资企业各方可用哪些作价出资？

四、**把下面的词组成句子** (Unscramble the following into normal sentences)：

1. 亏损　很　现在　企业　大

2. 我们　风险　的　有　投资　一定

3. 分享　利润　按　出资　各方　合资　比例

4. 投资　承担　高　更　我们　额　可以　的

5. 到　一次　位　的　资金　可以　我们

6. 合同　的　讨论　合资　企业　我们

第十一课　投资环境

（某经济开发区的招商引资会。）

郭主任：女士们，先生们！我们开发区地理位置优越，交通
　　　　便利，科技资源雄厚，基础设施也很完善。各位将
　　　　会看到，这里有中外客商理想的投资环境。

比　尔：请问郭主任，开发区有哪些权限？

郭主任：我请工商管理局的周云琴女士来回答。

周云琴：开发区有多方面的权限，比如外商投资项目审批
　　　　权、对外经贸出国组团审批权等。

比　尔：恕我直言，贵国的审批手续很复杂。当然，我们应
　　　　该跟中国政府合作。

周云琴：我们将建立精简、统一、高效的工作体系。有些
　　　　事，我们有权直接审批。

比　尔：那么，我的妻子想来中国，你们可以批准吗？

周云琴：为了先生与夫人的团聚，当然可以啦。

林玉婉：比尔，你什么时候结婚了？

比　尔：啊，不久的将来！

罗伯特：请问，你们有权审批哪些投资项目？

郭主任：不需要国家综合平衡的、出口不涉及配额许可
　　　　证、外汇能自行平衡的生产性项目，我们都可以
　　　　审批。

林玉婉：请问，投资项目有金额限制吗？

郭主任：为了充分利用土地资源，我们必须保持较高的投
资含金量和投资密度。因此，最低投资额有规定，
但最高投资额不受限制。

林玉婉：在税收方面有什么优惠政策吗？

郭主任：有。我们马上给大家发一份资料，上面有详细的
数字。

Tóuzī Huánjìng

(Mǒu jīngjì kāifāqū de zhāoshāng yǐnzī huì.)

Guō zhǔrèn：　Nǚshìmen, xiānshengmen! Wǒmen kāifāqū
　　　　　　　dìlǐ wèizhì yōuyuè, jiāotōng biànlì, kējì
　　　　　　　zīyuán xiónghòu, jīchǔ shèshī yě hěn
　　　　　　　wánshàn. Gèwèi jiānghuì kàndào, zhèlǐ
　　　　　　　yǒu Zhōngwài kèshāng lǐxiǎng de tóuzī
　　　　　　　huánjìng.

Bǐ'ěr：　　　Qǐngwèn Guō zhǔrèn, kāifāqū yǒu nǎxiē
　　　　　　　quánxiàn?

Guō zhǔrèn：　Wǒ qǐng Gōngshāng Guǎnlǐjú de Zhōu Yún-
　　　　　　　qín nǚshì lái huídá.

Zhōu Yúnqín：　Kāifāqū yǒu duō fāngmiàn de quánxiàn,
　　　　　　　bǐrú wàishāng tóuzī xiàngmù shěnpīquán,
　　　　　　　duìwài　　jīngmào　　chūguó　　zǔtuán
　　　　　　　shěnpīquán děng.

Bǐ'ěr：　　　Shù wǒ zhíyán, guìguó de shěnpī shǒuxù

hěn fùzá. Dāngrán, wǒmen yīnggāi gēn
Zhōngguó zhèngfǔ hézuò.

Zhōu Yúnqín: Wǒmen jiāng jiànlì jīngjiǎn, tǒngyī, gāo-
xiào de gōngzuò tǐxì. Yǒuxiē shì, wǒmen
yǒuquán zhíjiē shěnpī.

Bǐ'ěr: Nàme, wǒ de qīzi xiǎng lái Zhōngguó,
nǐmen kěyǐ pīzhǔn ma?

Zhōu Yúnqín: Wèile xiānsheng yǔ fūren de tuánjù, dāng-
rán kěyǐ la.

Lín Yùwǎn: Bǐ'ěr, nǐ shénme shíhou jiéhūn de?

Bǐ'ěr: À, bùjiǔ de jiānglái!

Luóbótè: Qǐngwèn, nǐmen yǒuquán shěnpī nǎxiē
tóuzī xiàngmù?

Guō zhǔrèn: Bù xūyào guójiā zōnghé pínghéng de, chū-
kǒu bú shèjí pèi'é xǔkězhèng, wàihuì néng
zìxíng   pínghéng   de   shēngchǎnxìng
xiàngmù, wǒmen dōu kěyǐ shěnpī.

Lín Yùwǎn: Qǐngwèn, tóuzī xiàngmù yǒu jīn'é xiànzhì
ma?

Guō zhǔrèn: Wèile chōngfèn lìyòng tǔdì zīyuán, wǒmen
bìxū bǎochí jiào gāo de tóuzī hánjīnliàng
hé tóuzī mìdù. Yīncǐ, zuìdī tóuzī'é yǒu
guīdìng, dàn zuìgāo tóuzī'é bú shòu
xiànzhì.

Lín Yùwǎn: Zài shuìshōu fāngmiàn yǒu shénme yōuhuì
zhèngcè ma?

Guō zhǔrèn: Yǒu. Wǒmen mǎshàng gěi dàjiā fā yífèn

zīliào, shàngmiàn yǒu xiángxì de shùzì.

Investment Environment

(A meeting at an economic development zone to invite outside investment.)

Director Guo: Ladies and gentlemen, our development zone has superb geographical location, convenient communications and rich scientific and technological resources. Its infrastructure is also complete. You can see that here we have an ideal investment environment for Chinese and foreign businessmen.

Bill: Director Guo, may I ask what decision-making power the development zone has?

Director Guo: I would ask Ms Zhou Yunqin from the Industry and Commerce Administration to answer this question.

Zhou Yunqin: The development zone has decision-making power in many respects, such as the evaluation and approval of foreign-invested projects, the approval of forming a group to go abroad for international business, etc.

Bill: Please excuse my straightforwardness. The

examination and approval formalities of your country are highly complex. But of course we should cooperate with the Chinese government.

Zhou Yunqin: We will establish a simple, unified and efficient administrative system. For certain matters, we have the power to give approval directly.

Bill: If my wife would like to come to China, can you give approval?

Zhou Yunqin: For your family reunion, of course we can.

Lin Yuwan: Bill, when did you get married?

Bill: Oh, I'll get married soon.

Robert: What investment projects are you allowed to evaluate and approve?

Director Guo: For those projects that don't need the state to keep overall balance, whose export doesn't involve license or quota, and whose foreign exchange can be balanced on their own, we have the power to give approval.

Lin Yuwan: Is there a limit on the amount of the investment project?

Director Guo: In order to make full use of the land resources, we have to keep the gold content and density of investment. And therefore, we do have a regulation on the minimum investment, but there is no ceiling to it.

Lin Yuwan： Are there any preferential taxation policies?
Director Guo： Yes. We'll distribute a document immediately. There you can find the specific figures.

生　　词
New Words

具体	jùtǐ	concrete, specific
优越	yōuyuè	superb, superior
便利	biànlì	convenient, easy
科技	kējì	science and technology
资源	zīyuán	resources
雄厚	xiónghòu	rich, abundant
基础	jīchǔ	foundation, base
设施	shèshī	installation, facilities
完善	wánshàn	perfect, consummate
理想	lǐxiǎng	ideal
权限	quánxiàn	limits of authority
管理局	guǎnlǐjú	administrative bureau
复杂	fùzá	complex, complicated
精简	jīngjiǎn	simple; simplify, retrench
体系	tǐxì	system
团聚	tuánjù	reunion; reunite
平衡	pínghéng	balance, equilibrium
自行	zìxíng	by oneself, of one's own

accord

含金量	hánjīnliàng	gold content
密度	mìdù	density, thickness
税收	shuìshōu	taxation, tax revenue

重点句
Key Sentences

1. 这里有中外客商理想的投资环境。

   Zhèlǐ yǒu Zhōngwài kèshāng lǐxiǎng de tóuzī huánjìng.

   Here we have an ideal investment environment for Chinese and foreign businessmen.

2. 开发区有哪些权限？

   Kāifāqū yǒu nǎxiē quánxiàn?

   What decision-making power does the development zone have?

3. 我们将建立精简、统一、高效的工作体系。

   Wǒmen jiāng jiànlì jīngjiǎn, tǒngyī, gāoxiào de gōngzuò tǐxì.

   We will establish a simple, unified and efficient administrative system.

4. 你们有权审批哪些投资项目？

   Nǐmen yǒu quán shěnpī nǎxiē tóuzī xiàngmù?

   What investment projects are you allowed to evaluate and approve?

5. 投资项目有金额限制吗？

Tóuzī xiàngmù yǒu jīn'é xiànzhì ma?

Is there a limit on the amount of the investment pro-
ject?

6. 在税收方面有什么优惠政策吗？

Zài shuìshōu fāngmiàn yǒu shénme yōuhuì zhèngcè
ma?

Are there any preferential taxation policies?

注　释
Notes

1. 第二个重点句：开发区有哪些权限？

　　"权限"，是职权范围的意思。在这集中，人们也可以
问"开发区有哪些权力？""开发区有哪些权利？"但意思不
完全相同。"权力"是强调强制的支配力量，"权利"是强调
能够行使的权力和享受的利益。"权限"、"权力"、"权利"
是近义词，它们的不同是由其中那个不同的字决定的。汉
语中有许多近义词，都是这样组合成的。

Key Sentence No. 2: What decision-making power does
the development zone have?

　　权限 means limits of authority. In this episode, peo-
ple may also ask："What power does the development zone
have?" "What rights does the development zone have?"
But there are slight differences in meaning. 权力 empha-
sizes the mandatory controlling power, while 权利 stress-
es the authority one can exercise and the interest one can

enjoy. 权限，权力 and 权利 are near-synonyms. The differences between them come from the character that is different in them. Many near-synonyms in Chinese are formed in this way.

2. 相关文化背景知识：

开发区，或经济技术开发区，或高新技术产业开发区，是实行改革开放政策的产物。目前，我国的经济技术开发区和高新技术产业开发区，除经国务院批准的国家级开发区以外，地方也建立了一批不同级别、不同规模的开发区。开发区是发展高新技术产业基地，是向传统产业扩散高新技术的辐射源，是对外开放的窗口，是深化改革的试验区，是科技与经济密切结合的示范区，是造就科技实业家的学校。开发区享受国家的许多优惠政策，具有良好的投资环境，从建设以来中外客商纷纷进入开发区。开发区的建设，正在为科技进步和经济的发展，发挥巨大作用。

Cultural Background：

Development Zones（Economic and Technological Development Zones, or Development Zones for High-tech Industries）sprang up from China's reform and open policy. At present, some of China's development zones are approved by the State Council, others by the local government at various levels and on various scales. Development Zones are bases for the development of high and new technologies, radiation sources to spread high-tech to traditional industries, windows of opening to the outside world, experimental zones for deepening reform, demonstration centres for the close combination of science and technology with economy, and schools to bring up entrepreneurs of scientific and technological enterprises. These zones enjoy many preferential policies from the state and have good environments for investment. Many Chinese and foreign businessmen have entered these zones ever since their establishment. They are playing an important role in the advancement of science an technology and in economic development.

练　　习
Exercises

一、组词后写拼音 (Complete the following phrases and then give the phonetic notation)：

审批＿＿＿　＿＿＿复杂　详细＿＿＿　＿＿＿限制
＿＿＿设施　优惠＿＿＿　保持＿＿＿　＿＿＿平衡

二、选择正确的词语填空 (Choose the right word to fill in each of the following blanks)：

1. 恕我直言，贵国的审批手续很＿＿＿。（复杂、麻烦）
2. 我们将建立精简、统一、高效的工作＿＿＿。（体制、体系）
3. 你们有权审批哪些投资＿＿＿? （节目、项目）
4. 这里有中外客商＿＿＿的投资环境。（理想、希望）

三、**听录音, 回答下列问题** (Listen to the recording and then answer the following questions):

1. 开发区的郭主任怎么介绍自己的开发区的?

2. 开发区有哪些权限?

3. 周云琴说要建立怎样的工作体系?

4. 林玉婉问比尔什么时候结婚了, 比尔怎么回答?

四、**把下面的词组成句子** (Unscramble the following into normal sentences):

1. 环境 这里 中外 的 理想 客商 有 投资

2. 吗 优惠 在 什么 政策 方面 有 税收

3. 有权 审批 项目 投资 你们 哪些

4. 金额 限制 项目 有 投资 吗

5. 产品 许可证 出口 这种 需要

五、**回答问题** (Answer the following questions):

1. 据你了解, 外商对中国的投资环境满意吗?

2. 你认为怎样的投资环境是最理想的?

3. 中国对外商来华投资有什么优惠政策？

第十二课　考察开发区

（林玉婉等人考察某经济技术开发区。）

林玉婉：这个开发区的总规划面积是多少？

郭主任：70平方公里。整个开发区划分成三大块，中间是工业区，这是生活区，这是商业区。

赵雨生：像一块三明治！

李　莎：不，像夹心饼干！

林玉婉：你们俩说的都一样。请问郭主任，你们为什么这样规划呢？

郭主任：我们要建设一个综合的、多功能的开发区，集工业、商业和生活娱乐为一体。

林玉婉：这个构想不错。现在进展如何？

郭主任：进展很顺利。现在，请大家乘车到开发区转一转、看一看吧！

林玉婉：这是开发区的一条主干道吧？

郭主任：是的。首期启动区已经完成了"七通一平"。

赵雨生：请问，什么是"七通一平"？

郭主任：就是道路四通八达，供电、供气、供水、上下水道、通讯等都已铺好、开通；另外，土地也都平整好了。

林玉婉：郭主任，如果我们公司来开发区投资建厂，怎么实施？

郭主任：开发区工商局可以直接为你们办理公司注册登
　　　　记，核发营业执照。

林玉婉：我们需要工厂怎么办？

郭主任：如果想马上投产，你们可以租赁厂房，开发区有
　　　　多种标准厂房供你们选择。

林玉婉：我们想抓紧时机，尽快投产。

郭主任：好的，我们将为你们提供一切方便。

Kǎochá Kāifāqū

（Lín Yùwǎn děng rén kǎochá mǒu jīngjì jìshù
kāifāqū.）

Lín Yùwǎn：　　Zhè ge kāifāqū de zǒng guīhuà miànjī shì
　　　　　　　duōshao?

Guō zhǔrèn：　Qīshí píngfāng gōnglǐ. Zhěnggè kāifāqū
　　　　　　　huàfēn chéng sān dà kuài, zhōngjiān shì
　　　　　　　gōngyè qū, zhè shì shēnghuó qū, zhè
　　　　　　　shì shāngyè qū.

Zhào Yùshēng：Xiàng yí kuài sānmíngzhì!

Lǐ Shā：　　　Bù, xiàng jiāxīn bǐnggān!

Lín Yùwǎn：　　Nǐmen liǎ shuō de dōu yíyàng. Qǐngwèn
　　　　　　　Guō zhǔrèn, nǐmen wèishénme zhèyàng
　　　　　　　guīhuà ne?

Guō zhǔrèn：　Wǒmen yào jiànshè yí ge zōnghé de, duō
　　　　　　　gōngnéng de kāifāqū, jí gōngyè,

shāngyè hé shēnghuó yúlè wéi yìtǐ.

Lín Yùwǎn： Zhè ge gòuxiǎng búcuò. Xiànzài jìnzhǎn rúhé?

Guō zhǔrèn： Jìnzhǎn hěn shùnlì. Xiànzài, qǐng dàjiā chéngchē dào kāifāqū zhuànyizhuàn, kànyikàn ba!

Lín Yùwǎn： Zhè shì kāifāqū de yì tiáo zhǔ gàndào ba?

Guō zhǔrèn： Shì de. Shǒuqī qǐdòngqū yǐjīng wán chéng le "qī-tōng-yì-píng".

Zhào Yǔshēng： Qǐngwèn, shénme shì "qī-tōng-yì-píng"?

Guō zhǔrèn： Jiùshì dàolù sìtōng-bādá, gōngdiàn, gōngqì, gōngshuǐ, shàngxià shuǐdào, tōngxùn děng dōu yǐ pūhǎo, kāitōng; lìngwài, tǔdì yě dōu píngzhěng hǎo le.

Lín Yùwǎn： Guō zhǔrèn, rúguǒ wǒmen gōngsī lái kāifāqū tóuzī jiànchǎng, zěnme shíshī?

Guō zhǔrèn： Kāifāqū gōngshāngjú kěyǐ zhíjiē wèi nǐmen bànlǐ gōngsī zhùcè dēngjì, héfā yíngyè zhízhào.

Lín Yùwǎn： Wǒmen xūyào gōngchǎng zěnmebàn?

Guō zhǔrèn： Rúguǒ xiǎng mǎshàng tóuchǎn, nǐmen kěyǐ zūlìn chǎngfáng, kāifāqū yǒu duōzhǒng biāozhǔn chǎngfáng gōng nǐmen xuǎnzé.

Lín Yùwǎn： Wǒmen xiǎng zhuājǐn shíjī, jǐnkuài tóu chǎn.

Guō zhǔrèn：　　Hǎo de，wǒmen jiāng wèi nǐmen tígōng
　　　　　　　　yíqiè fāngbiàn.

Investigating a Development Zone

(Lin Yuwan and her party are investigating a development zone.)

Lin Yuwan：　What is the expected total area of this de-
velopment zone?

Director Guo：　70 square kilometers. The development
zone is divided into three sections：the
industrial section in the middle, and here
are the living quarters, and here, the
commercial section.

Zhao Yusheng：It's just like a sandwich.

Li Sha：　　No, it's like a sandwich biscuit.

Lin Yuwan：　What you two said is the same. Director
Guo, why have you designed it this way?

Director Guo：　We are going to build a comprehensive
and multi-functional development zone,
putting industry, commerce, living and
recreation together.

Lin Yuwan：　That's a good idea. What progress have
you made?

Director Guo：　It's making good progress. Now please

get on the coach and we'll go and have an actual look at the development zone.

Lin Yuwan: Is this one of the main roads in the development zone?

Director Guo: Yes. The initial area of the first phase has completed what is called "Qitongyiping" (seven things ready and the land levelled).

Zhao Yusheng: What is "Qitongyiping"?

Director Guo: That means the roads are all ready and connected; electricity, gas, water supply, drainage, and communications are all ready and in use. And the land is levelled.

Lin Yuwan: Director Guo, if our firm is to make investment in the development zone to have a factory built, how should we proceed?

Director Guo: The Industry and Commerce Administration of the development zone can handle your registration and issue the business license.

Lin Yuwan: What if we need factory buildings?

Director Guo: If you want to go into operation immediately, you can rent the factory building. There are various standard factory buildings for you to choose from.

Lin Yuwan: We want to use this opportunity and go

into operation as soon as possible.

Director Guo: Fine. We will provide you with all neces-
sary conveniences.

生　词
New Words

规划	guīhuà	program, plan
划分	huàfēn	divide
多功能	duōgōngnéng	multi-functional
娱乐	yúlè	recreation, amusement
构想	gòuxiǎng	idea, concept
进展	jìnzhǎn	make progress, make headway
主干	zhǔgàn	trunk, mainstay
首期	shǒuqī	first phase, first stage
启动	qǐdòng	start
四通八达	sìtōng-bādá	extend in all directions
铺好	pūhǎo	lay, pave, spread
开通	kāitōng	open, clear
平整	píngzhěng	level
登记	dēngjì	register
核发	héfā	approve and issue
投产	tóuchǎn	go into operation
租赁	zūlìn	rent, lease, hire
抓紧	zhuājǐn	firmly grasp, pay close

		attention to
时机	shíjī	opportunity
尽快	jǐnkuài	as soon (quickly) as possible
工商局	gōngshāngjú	the Industry and Commerce Administration

重点句
Key Sentences

1. 这个开发区的总规划面积是多少？

   Zhè ge kāifāqū de zǒng guīhuà miànjī shì duōshao?

   What is the expected total area of this development zone?

2. 我们要建设一个综合的、多功能的开发区。

   Wǒmen yào jiànshè yí ge zōnghé de, duō gōngnéng de kāifāqū.

   We are going to build a comprehensive and multi-functional development zone.

3. 现在进展如何？

   Xiànzài jìnzhǎn rúhé?

   What progress have you made?

4. 你们可以租赁厂房。

   Nǐmen kěyǐ zūlìn chǎngfáng.

   You can rent the factory building.

5. 开发区有多种标准厂房供你们选择。

Kāifāqū yǒu duōzhǒng biāozhǔn chǎngfáng gōng nǐmen
xuǎnzé.

There are various standard factory buildings for you to
choose from.

6. 我们想抓紧时机，尽快投产。

Wǒmen xiǎng zhuājǐn shíjī, jǐnkuài tóuchǎn.

We want to use this opportunity and go into operation
as soon as possible.

注　　释
Notes

1. 第三个重点句：现在进展如何？

　　"如何"，意思是"怎么"、"怎么样"。如，"你们公司的
经营状况如何？"意思是问"你们公司的经营状况怎么
样"；"请问，此事如何办理？"意思是问"这件事怎么办
理"。"如何"是一个古汉语词，多用于书面；"怎么"、"怎么
样"多用于口语。"他如何不来？""他怎么不来？"意思一
样，但语言色彩不同，学习时要注意体会。

Key Sentence No. 3： What progress have you made?

　　如何 means "how" or "what". For instance, you
may ask："How's business with your firm?" "May I ask
how this should be handled?" Being archaic, 如何 is often
used in the written form, and 怎么 and 怎么样 are collo-
quial. In "Why won't he come?", you can use either 如何
or 怎么. They have the same meaning but different style

colouring. Attention should be paid to this point in your study.

2. 相关文化背景知识：

经济技术开发区，与经济特区一样，都力求为中外客商提供最理想的投资环境，包括我们常说的"硬环境"和"软环境"。所谓"硬环境"，是指厂房、能源、交通、通讯等基础设施；所谓"软环境"则主要指政治、经济环境，优惠政策，管理水平，文化素质以及生活服务设施等。相对来说，"硬环境"的建设比较容易，而"软环境"的建设则要复杂得多。我国各地的经济技术开发区，在建设投资环境方面作了巨大努力，无论是"硬环境"还是"软环境"，都得到了极大的改善。因此，吸引了越来越多的中外客商来开发区投资办厂。

Cultural Background:

As in Special Economic Zones, economic and technological development zones also endeavour to provide the best possible environment for Chinese and foreign businessmen to make investment. This includes both the hard and the soft environments. The hard environment refers to such infrastructure as factory buildings, energy resources, transportation and communications. And the soft environment refers to the political and economic conditions, preferential policies, management level, cultural quality of the people, and service facilities. Relatively speaking, the hard environment is easier to build, while the soft environment is much more complex. The economic and technological development zones throughout China have all made great efforts in the building of investments environment, with both the hard and the soft environments greatly improved. Therefore, more and more Chinese and foreign businessmen have been attracted to development zones to make investment and set up factories.

练　习
Exercises

一、**组词后写拼音**（Complete the following phrases and then give the phonetic notation）：

进展＿＿＿　　租赁＿＿＿　　＿＿＿投产　　＿＿＿标准
办理＿＿＿　　提供＿＿＿　　＿＿＿执照　　＿＿＿时机

二、**选择正确的意思**（Choose the correct interpretation）：

1.	"我们要建设一个综合的、多功能的开发区，集工业、商业和生活娱乐为一体。"这话的意思是：

①	这个开发区要把工业、商业和生活娱乐业集中在一起。

②	这个开发区的工业、商业和生活娱乐业都是集体所有的。

③	这个开发区既是工业区，又是商业区，还是当地生活娱乐中心。

2.	"现在，请大家乘车到开发区转一转，看一看吧。"这句话的意思是：

①	大家上车到开发区只转一圈，看一下就行了。

②大家上车到开发区随便走一走,看一看。
③请大家乘车到开发区各处观光。

三、**听录音,回答下列问题** (Listen to the recording and then answer the following questions):

1. 这个开发区的总规划面积是多少? 整个开发区怎样划分?

2. 他们要建设一个怎样的开发区?

3. 什么是"七通一平"?

4. 开发区的工商局有哪些权限?

5. 参观完开发区后林玉婉是什么态度?

四、**把下面的词组成句子** (Unscramble the following into normal sentences):

1. 多种 有 厂房 标准 开发区

2. 这 个 多功能 开发区 一 是 的 综合

3. 时机 抓紧 投产 尽快 想 我们

4. 厂房 租赁 可以 我们

五、**回答问题** (Answer the following questions):

1. 你到过中国的哪个开发区？你的印象如何？

2. 什么样的开发区对外商投资最有利？

第十三课　招聘员工

（林玉婉在公司办公室招聘新职员。）

林玉婉：最后一个问题，你为什么来本公司应聘？

温梦云：我想赚钱，实现自身价值。

林玉婉：你的自身价值是什么呢？

温梦云：我……不知道。

林玉婉：谢谢你来应聘，你可以走了！

温梦云：你们要我啦？

林玉婉：目前还不能要。再见！

吴国栋：时髦的女孩，自我感觉没找准。

苗秋萍：沈宏业！

吴国栋：你为什么这样看着我们？

沈宏业：因为你们在打量我，所以，我也要认真观察一下
　　　　我未来的老板。

吴国栋：你认为我们会录用你吗？

沈宏业：我相信，如果不录用我，那将是你们的损失。

林玉婉：噢？你很自信。你了解我们公司吗？

沈宏业：贵公司美名远扬，是世界著名的超级跨国公司。
　　　　这是我作的调查。

林玉婉：看来，你很了解我们公司。

沈宏业：不过，没有今天的面试，不能算是了解。

林玉婉：为什么？

沈宏业：贵公司有夫人这样既能干又漂亮的老板，可想而
　　　　知，贵公司一定是人才济济。

林玉婉：嗨，你倒很会恭维女人。好了，你被录用了，明天
　　　　来上班吧。

沈宏业：谢谢！

林玉婉：国栋，你觉得他怎么样？

吴国栋：是个狂妄自大之辈！

林玉婉：他这样直率、自信，毫无保留地表现自己，令人赞
　　　　赏。

吴国栋：总有一天你会感到难以驾驭的。

林玉婉：可是一味谦虚、含蓄，就会变得毫无生气，对吧？
　　　　请下一位！

Zhāopìn Yuángōng

（Lín Yùwǎn zài gōngsī bàngōngshì zhāopìn xīn
zhíyuán.）

Lín Yùwǎn：　　Zuìhòu yí ge wèntí, nǐ wèishénme lái běn
　　　　　　　gōngsī yìngpìn?

Wēn Mèngyún：Wǒ xiǎng zhuànqián, shíxiàn zìshēn jià-
　　　　　　　zhí.

Lín Yùwǎn：　　Nǐ de zìshēn jiàzhí shì shénme ne?

Wēn Mèngyún：Wǒ... bù zhīdào.

Lín Yùwǎn：　　Xièxie nǐ lái yìngpìn, nǐ kěyǐ zǒu le!

Wēn Mèngyún：Nǐmen yào wǒ la?

Lín Yùwǎn: Mùqián hái bùnéng yào. Zàijiàn!

Wú Guódòng: Shímáo de nǔhái, zìwǒ gǎnjué méi zhǎo-
zhǔn.

Miáo Qiūpíng: Shěn Hóngyè!

Wú Guódòng: Nǐ wèishénme zhèyàng kànzhe wǒmen?

Shěn Hóngyè: Yīnwèi nǐmen zài dǎliang wǒ, suǒyǐ, wǒ
yě yào rènzhēn guānchá yíxià wǒ wèilái
de lǎobǎn.

Wú Guódòng: Nǐ rènwéi wǒmen huì lùyòng nǐ ma?

Shěn Hóngyè: Wǒ xiāngxìn, rúguǒ bú lùyòng wǒ, nà
jiāng shì nǐmen de sǔnshī.

Lín Yùwǎn: Ō? Nǐ hěn zìxìn. Nǐ liǎojiě wǒmen gōngsī
ma?

Shěn Hóngyè: Guì gōngsī měimíng yuǎnyáng, shì shìjiè
zhùmíng de chāojí kuàguó gōngsī. Zhè
shì wǒ zuò de diàochá.

Lín Yùwǎn: Kànlái, nǐ hěn liǎojiě wǒmen gōngsī.

Shěn Hóngyè: Búguò, méiyǒu jīntiān de miànshì, bù
néng suànshì liǎojiě.

Lín Yùwǎn: Wèishénme?

Shěn Hóngyè: Guì gōngsī yǒu fūren zhèyàng jì nénggàn
yòu piàoliàng de lǎobǎn, kěxiǎng-érzhī,
guì gōngsī yídìng shì réncái-jǐjǐ.

Lín Yùwǎn: Hē, nǐ dào hěn huì gōngwéi nǚrén. Hǎo
le, nǐ bèi lùyòng le, míngtiān lái
shàngbān ba.

Shěn Hóngyè: Xièxie!

Lín Yùwǎn: Guódòng, nǐ juéde tā zěnmeyàng?

Wú Guódòng: Shì gè kuángwàng-zìdà zhī bèi!

Lín Yùwǎn: Tā zhèyàng zhíshuài, zìxìn, háowú bǎoliú
de biǎoxiàn zìjǐ, lìng rén zànshǎng.

Wú Guódòng: Zǒng yǒu yì tiān nǐ huì gǎndào nányǐ jiàyù
de.

Lín Yùwǎn: Kěshì yíwèi qiānxū, hánxù, jiù huì biàn
de háo wú shēngqì, duì ba? Qǐng xià yí
wèi!

Hiring Staff

(Lin Yuwan is in her office interviewing appli-
cants for vacancies.)

Lin Yuwan: The last question, why have you an-
swered our ad?

Wen Mengyun: I want to make money and fulfil my per-
sonal goals.

Lin Yuwan: What are your personal goals?

Wen Mengyun: I... I don't know.

Lin Yuwan: Thank you for answering our ad. You
may go now.

Wen Mengyun: Am I accepted?

Lin Yuwan: Not at the moment. Goodbye.

Wu Guodong: A fashionable girl, but her self-assess-

	ment is not accurate.
Miao Qiuping:	Shen Hongye.
Wu Guodong:	Why do you look at us like this?
Shen Hongye:	Since you are measuring me with the eye, I need to have a close look at my future bosses too.
Wu Guodong:	Do you think we should hire you?
Shen Hongye:	I believe that if you don't, it would be a loss on your side.
Lin Yuwan:	Oh, you are very confident. How well do you know our company?
Shen Hongye:	The good name of your company has spread far and wide. Yours is a famous super transnational company. Here is my investigation.
Lin Yuwan:	It seems you know our company quite well.
Shen Hongye:	Before today's interview, I couldn't say I knew enough.
Lin Yuwan:	Why?
Shen Hongye:	Your company has such a capable and beautiful boss like you, madam, and it can be imagined that your company has numerous talented people.
Lin Yuwan:	Oh, you know how to flatter a woman. OK, you're hired, and you can come to work tomorrow.

Shen Hongye： Thank you.

Lin Yuwan： Guodong, what do you think of him?

Wu Guodong： He is arrogant and conceited.

Lin Yuwan： He is straightforward and self-confident, and shows himself without any reservation. This is admirable.

Wu Guodong： But one day you will find him difficult to handle.

Lin Yuwan： But if one is always modest and reserved, he becomes lifeless. Isn't that right? Next one, please.

生　词
New Words

应聘	yìngpìn	respond to an offer of employment
自身	zìshēn	self
价值	jiàzhí	value, worth
找准	zhǎozhǔn	locate accurately
打量	dǎliang	look sb. up and down, measure with the eye
观察	guānchá	observe, survey
录用	lùyòng	employ, take sb. on the staff
自信	zìxìn	self-confident

美名远扬	měimíng yuǎnyáng	the good name spreads far and wide
著名	zhùmíng	famous, well-known
超级	chāojí	super
跨国	kuà guó	transnational
面试	miànshì	interview
可想而知	kěxiǎng-érzhī	it can be imagined
人才济济	réncái-jǐjǐ	an abundance of capable people
恭维	gōngwei	flatter, compliment
狂妄自大 (之辈)	kuángwàng-zìdà (zhī bèi)	arrogant and conceited (people)
直率	zhíshuài	frank, straightforward
毫无保留	háowú bǎoliú	with no reservation
驾驭	jiàyù	drive, control
一味	yī wèi	blindly
谦虚	qiānxū	modest
含蓄	hánxù	reserved, veiled
毫无生气	háowú shēngqì	lifeless

重点句
Key Sentences

1. 你为什么来本公司应聘？

   Nǐ wèishénme lái běn gōngsī yìngpìn?

   Why have you answered our ad?

2. 我想赚钱，实现自身价值。

Wǒ xiǎng zhuàn qián, shíxiàn zìshēn jiàzhí.

I want to make money and fulfil my personal goals.

3. 你认为我们会录用你吗？

Nǐ rènwéi wǒmen huì lùyòng nǐ ma?

Do you think we should hire you?

4. 你了解我们公司吗？

Nǐ liǎojiě wǒmen gōngsī ma?

How well do you know our company?

5. 没有今天的面试，不能算是了解。

Méiyǒu jīntiān de miànshì, bùnéng suànshì liǎojiě.

Before today's interview, I couldn't say I knew e-nough.

6. 你被录用了。

Nǐ bèi lùyòng le.

You're hired!

注　释
Notes

1. **第五个重点句：没有今天的面试，不能算是了解。**

"算"、"算是"，副词，表示把某种不如意的事勉强地当作另一件事。在这一课中，沈宏业的意思是，在今天面试以前，他只是知道公司的一些情况，但不能说是真正了解公司；即使通过今天的面试，他对公司有了一些新的认识，但也还不能说是了解了，而只能勉强说是了解了。这里有一种自我宽慰和谦逊的成份。又例如,"我虽然在中国很多年了,但我还不能算真正了解中国。""今天招聘的人都可用,但不算理想。"

Key Sentence No. 4: Before today's interview, I couldn't say I knew enough.

算 or 算是 (be regarded as) is an adverb, meaning to reluctantly regard a certain dissatisfactory thing as something else. In this lesson, Shen Hongye was saying that before the interview, he only knew certain things about the company, but he couldn't say that he had a real understanding. Even with the interview, he had some new understanding of the company, but he still couldn't say that he understood well. He could barely say that he understood. There is a sense of self-consolement and modesty. Here are some more examples: "Although I have stayed in China for many years, I still couldn't say I have really understood China." "People we hire today are all O. K., but I can't say that they are ideal."

2. 相关文化背景知识:

这一课中,讲到中国人和美国人自我表现的不同,是一个很有趣的话题。全世界的各个国家、各个民族,由于地理、历史的不同,存在明显的文化差异。中国是一个有几千年历史的文明古国,传统的文化,尤其是儒学文化,教育中国人民仁爱、中庸。"仁爱",就是要为人善良,爱自己,也爱他人;"中庸",就要克己、守礼,作什么事都要有分寸,恰到好处,不能放纵自己,为所欲为。为人谦逊、含蓄,不要锋芒毕露、狂妄自大,就是中庸的表现。在合资企业中，不同文化的冲突与相互渗透，是一个普遍现象。

Cultural Background：

This lesson talks about the difference in self-expression between the Chinese and the Americans, and this is an interesting topic. Owing to the difference in geography and history, there exist obvious cultural differences between different countries and peoples. China is a country with an ancient civilization of several thousand years. Its traditional culture, especially Confucianism, teaches the Chinese to be kindhearted and follow the Doctrine of the Mean. 仁爱 (rén'ài) teaches people to be kindhearted, loving others as well as oneself. 中庸 (zhōngyōng) teaches people to be self-restraint and observe rites, having a sense of propriety no matter doing what, and always being just right. One should never be self-indulgent and do as one pleases. Being modest, reserved, never showing one's ability to the full, and never being arrogant and conceited, these are the manifestations of keeping to the golden mean. The conflict between and interpenetration of different cultures is a common phenomenon in joint ventures.

练 习
Exercises

一、组词后写出拼音（Complete the following phrases

and then give the phonetic notation）：

＿＿价值　时髦＿＿　＿＿损失　保留＿＿

招聘＿＿　了解＿＿　＿＿表现　著名＿＿

二、选择正确的意思 （Choose the correct interpretation）：

1. "时髦的女孩,自我感觉没找准。"这话的意思是：

①时髦的女孩,自我感觉没找准标准。

②这是一个时髦女孩,自我感觉找不到正确的标准。

③这是一个时髦女孩,自己究竟怎样,自我感觉不准确。

2. "一味谦虚、含蓄,就会变得毫无生气。"这话的意思是：

①一种味道的谦虚、含蓄,就会变得毫无生气了。

②只知道谦虚、含蓄,就会变得毫无生气。

③一个劲(儿)谦虚、含蓄,就会变得毫无生气。

④知道谦虚、含蓄,就会变得没有一点脾气了。

三、听录音,回答问题 （Listen to the recording and then answer the following questions）：

1. 林玉婉问正在照着小镜子的女青年"你为什么来本公司"时,女青年怎么回答？

2. 林玉婉问沈宏业"你很自信,你了解我们公司吗?"沈宏业怎么回答？

3. 林玉婉和吴国栋对应聘的沈宏业,一个欣赏,一个不欣赏，你能复述一下他俩各自的看法吗？

四、把下面的词组成句子 (Unscramble the following into normal sentences)：

1. 应聘 你 公司 为什么 本 来

2. 录用 公司 你 我们 被 了

3. 你 人 很 恭维 会

4. 价值 实现 自身 想 我

五、回答问题 (Answer the following questions)：

1. 你认为吴国栋和林玉婉对待沈宏业的态度哪个对？你欣赏沈宏业吗？为什么？

2. 你认为自身价值是什么？赚钱后就能实现自身价值吗？

3. 你参加过求职面试吗？你是怎样介绍自己的？

第十四课　职工考核

（在一个花园别墅，林玉婉在考核新职工。）

李　　莎：各位新职员，今天是一次特殊的考核，你们将担
　　　　　任什么职务，就看考核的结果了。

林玉婉：不要紧张，我们只是通过考核从诸位中选拔数名
　　　　管理人员。

吴国栋：公司对人才的要求是多方面的。比如管理人员要
　　　　懂得现代企业管理科学啦，要善于处理人际关系
　　　　啦。

林玉婉：还有，要掌握计算机文字处理、数据库管理和计
　　　　算、图表等办公自动化手段。

吴国栋：所有这些，我们将根据需要对你们逐步进行培
　　　　训。

林玉婉：今天是考察应变能力和处理问题的能力。这里有
　　　　一件合同争议案，请听好。买方向卖方发出一份
　　　　传真：“你方未按照合同的规定于 7 月 1 日交货，
　　　　现要求你方必须在 7 月 15 日以前交货。”事后，
　　　　双方对赔偿问题产生了争议。你们谈谈怎么处
　　　　理。

司马向梅：我认为，卖方应该向买方回一封传真，对延迟
　　　　　交货表示歉意。

林玉婉：你认为这样做就不会有争议了吗？

司马向梅：嗯……

林玉婉：遗憾的是，卖方没有回电。虽然卖方在 7 月 15 日
之前交了货，但是买方依旧坚持索赔。这是为什
么？

司马向梅：我不清楚。

林玉婉：你们说一说。

沈宏业：我以为卖方没有注意到，买方的来电含糊不清。

林玉婉：请你详细解释一下。

沈宏业：表面上看，买方同意延迟交货，但在电文中，买方
没有明确是否仍然坚持原合同的全部条款。

苗秋萍：这就是说，卖方即使交了货，也要受原合同的约
束。

李　莎：对啰，买方有权索赔。

沈宏业：正是这样。只是可惜卖方没有识破买方的圈套。

林玉婉：你反应很快，处理也很周到，希望你能在本公司
充分发挥你的才能！

沈宏业：谢谢！

Zhígōng Kǎohé

（Zài yí ge huāyuán biéshù, Lín Yùwǎn zài
kǎohé xīn zhígōng.）

Lǐ Shā：　　　Gèwèi xīn zhíyuán, jiāntiān shì yícì tè-
shū de kǎohé, nǐmen jiāng dānrèn
shénme zhíwù, jiù kàn kǎohé de jiéguǒ

le.

Lín Yùwǎn: Búyào jǐnzhāng, wǒmen zhǐshì tōngguò kǎohé cóng zhūwèi zhōng xuǎnbá shù míng guǎnlǐ rényuán.

Wú Guódòng: Gōngsī duì réncái de yāoqiú shì duō fāngmiàn de. Bǐrú guǎnlǐ rényuán yào dǒngde xiàndài qǐyè guǎnlǐ kēxué la, yào shànyú chǔlǐ rénjì guānxì la.

Lín Yùwǎn: Háiyǒu, yào zhǎngwò jìsuànjī wénzì chǔlǐ, shùjùkù guǎnlǐ hé jìsuàn, túbiǎo děng bàngōng zìdònghuà shǒuduàn.

Wú Guódòng: Suǒyǒu zhèxiē, wǒmen jiāng gēnjù xūyào duì nǐmen zhúbù jìnxíng péixùn.

Lín Yùwǎn: Jīntiān shì kǎochá yìngbiàn nénglì hé chǔlǐ wèntí de nénglì. Zhèlǐ yǒu yí jiàn hétong zhēngyì àn, qǐng tīng hǎo. Mǎifāng xiàng màifāng fāchū yí fèn chuánzhēn: "Nǐfāng wèi ànzhào hétong de guīdìng yú Qīyuè yī rì jiāohuò, xiàn yāoqiú nǐfāng bìxū zài Qīyuè shíwǔ rì yǐqián jiāohuò." Shìhòu, shuāngfāng duì péicháng wèntí chǎnshēng le zhēngyì. Nǐmen tántan zěnme chǔlǐ.

Sīmǎ Xiàngméi: Wǒ rènwéi, màifāng yīnggāi xiàng mǎifāng huí yì fēng chuánzhēn, duì yánchí jiāohuò biǎoshì qiànyì.

Lín Yùwǎn: Nǐ rènwéi zhèyàng zuò jiù búhuì yǒu

zhēngyì le ma?

Sīmǎ Xiàngméi: Ēn...

Lín Yùwǎn: Yíhàn de shì, màifāng méiyǒu huídiàn. Suīrán màifāng zài Qīyuè shíwǔ rì zhī qián jiāo le huò, dànshì màifāng yījiù jiānchí suǒpéi. Zhè shì wèishénme?

Sīmǎ Xiàngméi: Wǒ bù qīngchu.

Lín Yùwǎn: Nǐmen shuōyishuō.

Shěn Hóngyè: Wǒ yǐwéi màifāng méiyǒu zhùyì dào, màifāng de lái diàn hánhu bù qīng.

Lín Yùwǎn: Qǐng nǐ xiángxì jiěshì yíxià.

Shěn Hóngyè: Biǎomiàn shàng kàn, màifāng tóngyì yánchí jiāohuò, dàn zài diànwén zhōng, màifāng méiyǒu míngquè shìfǒu réngrán jiānchí yuán hétong de quánbù tiáokuǎn.

Miáo Qiūpíng: Zhè jiùshì shuō, màifāng jíshǐ jiāo le huò, yě yào shòu yuán hétong de yuēshù.

Lǐ Shā: Duì luo, màifāng yǒuquán suǒpéi.

Shěn Hóngyè: Zhèngshì zhèyàng. Zhǐ shì kěxī màifāng méiyǒu shípò màifāng de quāntào.

Lín Yùwǎn: Nǐ fǎnyìng hěn kuài, chǔlǐ yě hěn zhōudào, xīwàng nǐ néng zài běn gōngsī chōngfèn fāhuī nǐ de cáinéng.

Shěn Hóngyè: Xièxie!

Examining the Staff

(Lin Yuwan is examining the newly-recruited staff in a garden villa.)

Li Sha: Hello, our new staff members. Today we'll have a special test. The post you 'll take will depend on your test result.

Lin Yuwan: Don't be nervous. This test is to help us select several managerial personnel among you.

Wu Guodong: Our company wants a multi-skilled managerial staff, who, for instance, should understand the science of modern business management and be capable of handling properly inter-personal relations.

Lin Yuwan: What's more, they need to master such office automation techniques as computer word processing, database management, computation and chart designing.

Wu Guodong: For all this, we will provide you with step-by-step training according to the need.

Lin Yuwan: Today we will test how you handle emergencies and difficulties. Here is a case of contractual dispute. Please listen carefully. The buyer sent a fax to the seller, saying that the seller hadn't dispatched the goods on July 1st according to the contract stipulations. Now the seller was required to deliver the goods before July 15th. Later the two parties had a dispute over indemnity. Please give your opinion how this should be handled.

Sima Xiangmei: I think the seller should fax the buyer, expressing their apology for late delivery.

Lin Yuwan: Do you think that by doing this there will be no argument. ?

Sima Xiangmei: Er...

Lin Yuwan: It is a pity that the seller didn't reply. Even though the seller delivered the goods before July 15th, the buyer still insisted on lodging a claim. Can you say why?

Sima Xiangmei: I am not clear about it.

Lin Yuwan: What would the others say?

Shen Hongye: I think the seller didn't notice the vagueness in the buyer's fax.

Lin Yuwan: Can you explain in detail?

Shen Hongye: On the surface, the seller agreed to late delivery, but he didn't make it clear whether he still stuck to all the original stipulations.

Miao Qiuping: In other words, even if the seller made

delivery of the goods, he was still bound by the original contract.

Li Sha：That's right, the buyer was still entitled to lodge a claim.

Shen Hongye：That's the case, but it was a pity that the seller didn't see through the trap set by the buyer.

Lin Yuwan：You had very quick reaction and handled the case satisfactorily. I hope you can bring your talent into full play in our company.

Shen Hongye：Thank you.

生　词
New Words

担任	dānrèn	hold the post of, assume the office of
职务	zhíwù	post, job
紧张	jǐnzhāng	nervous, tense
选拔	xuǎnbá	select, choose
处理	chǔlǐ	handle, deal with
人际关系	rénjì guānxi	interpersonal relations
掌握	zhǎngwò	grasp, master
数据(库)	shùjù(kù)	data (base)
图表	túbiǎo	chart, diagram

自动（化）	zìdòng(huà)	automatic（automation）
逐步	zhúbù	step by step
进行	jìnxíng	carry on，carry out
考察	kǎochá	test and judge，inspect
应变	yìngbiàn	meet an emergency
争议	zhēngyì	dispute
产生	chǎnshēng	give rise to，emerge
延迟	yánchí	delay
表示	biǎoshì	express
歉意	qiànyì	apology
依旧	yījiù	still，as before
含糊	hánhu	vague，ambiguous
表面	biǎomiàn	surface，appearance
仍然	réngrán	still，yet
约束	yuēshù	bind，restrain
识破	shípuò	see through
圈套	quāntào	snare，trap
才能	cáinéng	ability，talent

重点句
Key Sentences

1. 我们只是通过考核从诸位中选拔数名管理人员。

   Wǒmen zhǐshì tōngguò kǎohé cóng zhūwèi zhōng xuǎnbá shùmíng guǎnlǐ rényuán.

   This test is to help us select several managerial personnel among you.

2. 公司对人才的要求是多方面的。

Gōngsī duì réncái de yāoqiú shì duō fāngmiàn de.

Our company wants a multi-skilled managerial staff.

3. 我们将根据需要对你们逐步进行培训。

Wǒmen jiāng gēnjù xūyào duì nǐmen zhúbù jìnxíng péixùn.

We will provide you with step-by-step training according to the need.

4. 今天是考察应变能力和处理问题的能力。

Jīntiān shì kǎochá yìngbiàn nénglì hé chǔlǐ wèntí de nénglì.

Today we will test how you handle emergencies and difficulties.

5. 你认为这样做就不会有争议了吗？

Nǐ rènwéi zhèyàng zuò jiù bú huì yǒu zhēngyì le ma?

Do you think that by doing this there will be no argument?

6. 希望你能在本公司充分发挥你的才能。

Xīwàng nǐ néng zài běn gōngsī chōngfèn fāhuī nǐ de cáinéng.

I hope you can bring your talent into full play in our company.

注　释
Notes

1. 第一个重点句：我们只是通过考核从诸位中选拔数名管理人员。

　　这个句子比较复杂，它的主要部分是"我们将选拔数名管理人员。""通过考核"、"从诸位中"都是状语，说明选拔的方式和选拔的对象。"诸位"是一个带敬意的文言词，总称所指的若干人，多用于书面或一些比较严肃的场合。比如，在开会时，主持人说的第一句话，常常是"各位先生"或"诸位先生"，意思一样，但感情色彩不同。

Key Sentence No. 1： We are going to select several managerial personnel among you through this test.

　　This sentence is complicated, with the main part being "we are going to select several managerial personnel". Both "among you" and "through this test" are adverbials, explaining the objects and the mode of selection. 诸位 is a reverent word in classical Chinese, addressing everybody being referred to. It is more often used in the written form or on some solumn occasions. For instance, at the beginning of a meeting, the first thing the master of ceremony would say is："Ladies and gentlemen". Here you can use either 诸位 or 各位 (gèwèi). They have the same meaning but different emotional colouring.

2. **相关文化背景知识：**

　　人员素质的高低，决定着一个企业的生存与发展。企业的管理,说到底,是对人的管理。企业管理的三次革命,都是围绕着提高人的素质来进行的。而要提高人的素质,就必须重视人员的选拔与培训。中国实行改革开放以来,越来越多的企业,甚至一些乡镇企业,也有了强烈的人才意识,十分重视职工上岗前的培训和上岗后的继续教育。中国的职业教育和成人教育,也相应地得到极大的发展。1995 年 5 月,中共中央、国务院作出《关于加速科学技术进步的决定》,"科教兴国",已经成为中国的一项重要国策。这项国策,将极大提高就业人员素质,为经济的发展输送强大的生力军。

Cultural Background:

Quality of the personnel determines the existence and development of an enterprise. Business management is after all the management of human resources. All the three revolutions in business management have focused around the improvement of the quality of the people. To achieve this aim, attention must be paid to the selection and training of the personnel. Since China's reform and opening, more and more enterprises, including township enterprises, have become keenly conscious of talents, paying great attention to the training of the staff before they take up a new post and their continuing education. Professional and adult education in China has also witnessed corresponding rapid development. In May 1995, the Central Committee of the Chinese Communist Party and the State Council adopted *The Resolution on Accelerating the Advancement of Science and Technology*. Thus, to invigorate the country with science and education has become an established policy in China. This policy will greatly raise the quality of the working personnel, and supply a powerful new force for the country's economic development.

练 习
Exercises

一、**组词后写拼音**（Complete the following phrases and then give the phonetic notation）：

特殊＿＿＿ 担任＿＿＿ ＿＿＿索赔 同意＿＿＿
＿＿＿紧张 处理＿＿＿ ＿＿＿条款 ＿＿＿交货

二、**选择正确的词语填空**（Choose the right word to fill in each of the following blanks）：

1. 我们只是通过考核从诸位中＿＿＿数名管理人员。（选拔、挑选）

2. 我们将根据需要对你们＿＿＿进行培训。（逐步、逐渐）

3. 你方未按照合同的规定于 7 月 1 日交货，现要求你方＿＿＿在 7 月 15 日以前交货。（必需、必须）

4. 卖方没有注意到，买方的来电＿＿＿不清。（含糊、模糊）

三、**听录音回答问题** (Listen to the recording and then answer the following questions)：

  1. 林玉婉的公司对人才的要求是什么？

  2. 对新职员的考核内容是什么？

  3. 林玉婉介绍了一份合同争议案，内容是什么？

  4. 司马向梅认为应该怎么处理？

  5. 沈宏业怎样解释买方的来电？

四、**把下面的词组成句子** (Unscramble the following into normal sentences)：

  1. 选拔　通过　我们　人员　管理　考核

  2. 才能　你　希望　公司　发挥　本　充分　在

  3. 公司　能力　应该　处理　问题　有
     职员　的

  4. 认为　吗　有　会　争议　你

五、**回答问题** (Answer the following questions)：

  1. 你认为一个好的职工应具备哪些条件？

2. 你参加过职工考核吗？谈谈你当时的感受？

3. 你们国家的大公司或政府机关是怎样考核职工的？

第十五课　人员培训

（一批职员在美国公司总部接受培训。）

林玉婉：我这次专门陪同你们到美国去参观我们的总公司，要求你们认真动脑子学习。

众　　人：放心吧！

林玉婉：你们注意到没有，这儿的总裁办公室与国内有什么不同？

赵雨生：这儿办公用计算机，我们桌子上堆的都是文件。

林玉婉：美国公司的计算机联网率在 90％以上。

司马向梅：我们的计算机技术普及率太低。

李　莎：不完全是技术问题，而是企业管理的观念问题。

林玉婉：世界市场变化的特点，就是每一个企业，都面临着来自国外企业的挑战。

沈宏业：这就迫使我们抛弃传统的管理方式，广泛利用信息系统进行企业决策和管理。

林玉婉：对。信息就是金钱，就是效益。大家要明确，信息是企业进行决策的依据。这个问题，在高层管理中尤其重要。

李　莎：先生，您在作什么？

专　家：我正在进行信息处理和分析。

李　莎：都是些什么信息呢？

专　家：外部信息源系统和内部信息系统。

苗秋萍：外部信息源，是指企业外部因素，对吗？

专　　家：是的。你们看，这是各进出口国的政治、经济、社会、贸易法规等各种情况。

李　　莎：那么，内部信息呢？

专　　家：就是企业内部各管理职能部门、各管理层次、职工之间、上下级之间产生的信息。

沈宏业：像财务部门销售额、订单、成本、现金流动各种数据都会有吧？

专　　家：都有。

林玉婉：你们都明白了吧？信息在管理中起着越来越重要的作用，你们必须具有获取和使用信息的特殊能力。

Rényuán Péixùn

（Yì pī zhíyuán zài Měiguó gōngsī zǒngbù jiēshòu péixùn.）

Lín Yùwǎn： Wǒ zhè cì zhuānmén péitóng nǐmen dào Měiguó qù cānguān wǒmen de zǒng gōngsī, yāoqiú nǐmen rènzhēn dòng nǎozi xuéxí.

Zhòngrén： Fàngxīn ba!

Lín Yùwǎn： Nǐmen zhùyì dào méiyǒu, zhèr de zǒng cái bàngōngshì yǔ guónèi yǒu shénme bùtóng?

Zhào Yǔshēng： Zhèr bàngōng yòng jìsuànjī, wǒmen
zhuōzi shàng duī de dōu shì wénjiàn.

Lín Yùwǎn： Měiguó gōngsī de jìsuànjī liánwǎnglù zài
bǎifēnzhī jiǔshí yǐshàng.

Sīmǎ Xiàngméi：Wǒmen de jìsuànjī jìshù pǔjí lù tài dī.

Lǐ Shā： Bù wánquán shì jìshù wèntí, érshì qǐyè
guǎnlǐ de guānniàn wèntí.

Lín Yùwǎn： Shìjiè shìchǎng biànhuà de tèdiǎn, jiùshì
měi yí ge qǐyè, dōu miànlín zhe láizì
guówài qǐyè de tiǎozhàn.

Shěn Hóngyè： Zhè jiù pòshǐ wǒmen pāoqì chuántǒng de
guǎnlǐ fāngshì, guǎngfàn lìyòng xìnxī
xìtǒng jìnxíng qǐyè juécè hé guǎnlǐ.

Lín Yùwǎn： Duì! Xìnxī jiùshì jīnqián, jiùshì xiàoyì.
Dàjiā yào míngquè, xìnxī shì qǐyè
jìnxíng juécè de yījù. Zhè ge wèntí, zài
gāocéng guǎnlǐ zhōng yóuqí zhòngyào.

Lǐ Shā： Xiānsheng, nín zài zuò shénme?

Zhuānjiā： Wǒ zhèngzài jìnxíng xìnxī chǔlǐ hé fēnxī.

Lǐ Shā： Dōu shì xiē shénme xìnxī ne?

Zhuānjiā： Wàibù xìnxīyuán xìtǒng hé nèibù xìnxī
xìtǒng.

Miáo Qiūpíng： Wàibù xìnxīyuán, shì zhǐ qǐyè wàibù
yīnsù, duì ma?

Zhuānjiá： Shì de. Nǐmen kàn, zhè shì gè jìnchūkǒu
guó de zhèngzhì, jīngjì, shèhuì, màoyì
fǎguī děng gèzhǒng qíngkuàng.

Lǐ Shā: Nàme, nèibù xìnxī ne?
Zhuānjiā: Jiùshì qǐyè nèibù gè guǎnlǐ zhínéng bù-
mén, gè guǎnlǐ céngcì, zhígōng zhījiān,
shàngxiàjí zhījiān chǎnshēng de xìnxī.
Shěn Hóngyè: Xiàng cáiwù bùmén xiāoshòu'é, dìng
dān, chéngběn, xiànjīn liúdòng gèzhǒng
shùjù dōu yǒu ba?
Zhuānjiā: Dōu yǒu.
Lín Yùwǎn: Nǐmen dōu míngbai le ba? Xìnxī zài
guǎnlǐ zhōng qǐ zhe yuèláiyuè zhòngyào
de zuòyòng, nǐmen bìxū jùyǒu huòqǔ hé
shǐyòng xìnxī de tèshū nénglì.

Training of Personnel

(A group of staff members are receiving training
at the American company headquarters.)

Lin Yuwan: This time I accompany you to the United
States to visit the head office of our com-
pany, you are required to use your
brains.
All: No problem.
Lin Yuwan: Did you notice any difference between the
president's office here and that in China?
Zhao Yusheng: Here they use computers, while our desks

are piled up with documents.

Lin Yuwan: Over 90% of the U. S. companies use computer networking.

Sima Xiangmei: The popularity rate of computer technology in our country is too low.

Li Sha: It is not only a matter of technology, but a problem involving the concept of business management.

Lin Yuwan: One characteristic in the change of the international market is that every enterprise is faced with the challenge from foreign enterprises.

Shen Hongye: This has forced us to do away with the traditional mode of management, and to base our decision-making and management on the extensive utilization of the information system.

Lin Yuwan: That's right. Information means money and efficiency. Everybody must be clear that information is the basis for business decision-making. This is most important to high-ranking executives.

Li Sha: Mister, what are you doing?

Expert: We are processing and analysing information.

Li Sha: What kind of information?

Expert: External and internal information systems.

Miao Qiuping: External information sources refer to factors outside the enterprise. Is that right?

Expert: Yes. Here you can see the information about the politics, economy, society, and trade laws and regulations of the countries which do import and export business with us.

Li Sha: What about internal information then?

Expert: This refers to information produced by various management departments of the company, or between different management levels, between staff members or between superiors and inferiors.

Shen Hongye: For the finance department, it includes such data as sales volume, orders, cost and cash flow, right?

Expert: Yes.

Lin Yuwan: Are you clear now? Information is playing an ever-increasing role in management, and you must be especially able to obtain and use information.

生　词
New Words

专门	zhuānmén	special, specialized
陪同	péitóng	accompany
总裁	zǒngcái	president
堆	duī	pile
联网（率）	liánwǎng (lù)	networking (rate)
普及（率）	pǔjí (lù)	popularity (rate)
特点	tèdiǎn	characteristic
迫使	pòshǐ	force, compel
抛弃	pāoqì	do away with, abandon
传统	chuántǒng	tradition
广泛	guǎngfàn	broad, extensive
利用	lìyòng	use, utilize
效益	xiàoyì	efficiency, benefit
尤其	yóuqí	especially, particularly
法规	fǎguī	laws and regulation
职能	zhínéng	function
流动	liúdòng	flow
获取	huòqǔ	obtain
使用	shǐyòng	use

重点句
Key Sentences

1. 美国公司的计算机联网率在 90％以上。

   Měiguó gōngsī de jìsuànjī liánwǎnglǜ zài bǎifēnzhī jiǔshí yǐshàng.

   Over 90％ of the U. S. companies use computer networking.

2. 信息就是金钱，就是效益。

   Xìnxī jiù shì jīnqián, jiù shì xiàoyì.

   Information means money and efficiency.

3. 信息是企业进行决策的依据。

   Xìnxī shì qíyè jìnxíng juécì de yījù.

   Information is the basis for business decision-making.

4. 我正在进行信息处理和分析。

   Wǒ zhèngzài jìnxíng xìnxī chǔlǐ hé fēnxī.

   I am processing and analysing information.

5. 信息在管理中起着越来越重要的作用。

   Xìnxī zài guǎnlǐ zhōng qǐ zhe yuèláiyuè zhòngyào de zuòyòng.

   Information is playing an ever-increasing role in management.

6. 你们必须具有获取和使用信息的特殊能力。

   Nǐmen bìxū jùyǒu huòqǔ hé shǐyòng xìnxī de tèshū nénglì.

   You must be especially able to obtain and use information.

注　释
Notes

1. 第一个重点句：美国公司的计算机联网率在 90％以上。

　　句中的"以上"，表示数量的范围和界限。介词"以"，是一个用途很广的古汉语词。"以"放在一些单音节方位词、处所词前头，表示空间、时间、数量、范围等界限。例如以上、以下、以东、以西、以内、以外、以前、以后等等。"两年以前""一个星期以内"都是表示的时间界限。"北京以东""公司以南"都是表示的地理位置。

Key Sentence No. 1：　Over 90％ of the U. S. companies use computer networking.

　　以上（over）in the sentence expresses the scope and limit of a number. The preposition 以 is a very useful word from classical Chinese. When it precedes some monosyllabic words denoting direction or location, it indicates limits on space, time, number or scope, e. g., 以上（above, more than）, 以下（below, less than）, 以东（east of）, 以西（west of）, 以内（within）, 以外（beyond）, 以前（before）, 以后（after）, etc. "Two years ago", and "within one week" set limits on time. "To the east of Beijing", and "south of our company" indicate location.

2. **相关文化背景知识：**

　　这课中提到,进入 90 年代以后,世界市场变化的一个显著特点,就是每一个企业,即使在国内市场上,也面临着来自国外企业的挑战。这个特点,在现在的中国,表现得十分明显。就拿中国的计算机行业来说,现在几乎所有国际著名计算机厂商,都来到了中国,中国计算机市场销售量的 80% 是外国机种。中国最大的计算机公司"联想"、"四通"和"长城"公司,虽然有雄厚的科技实力,也曾有过辉煌时期,但在外国同行的猛烈冲击下,曾经一度陷入困境。现在,他们已经站稳了脚跟,但仍然面临着巨大的挑战。中国的汽车、纺织、化工、饮食和其它众多的行业,都面临着同样的问题。迎接挑战,成为胜利者,是每一个企业的唯一选择。

Cultural Background：

　　It is mentioned in this lesson that in the 1990s one of the characteristics of the changes in the world market is that every company is faced with the challenge from a foreign company even in the domestic market. This is obvious in China too. Take the computer industry for instance. At present, almost all the world-famouse computer firms have come to China. 80% of the computers sold in China are from abroad. The biggest Chinese computer companies such as Legend, Stone and Great Wall, with their tremendous scientific and technological strengths and bright periods, found themselves in the mire at one time, owing to the vigourous offensives from their foreign rivals. Now they have got a firm foothold, but are still facing severe challenges. Similar problems also exist for China's automobile, textile, chemical, food and other industries. The only choice for any enterprise is to meet the challenge and become the winner.

练 习
Exercises

一、组词后写出拼音 (Complete the following phrases and then give the phonetic notation)：

面临____ ____观念 整理____ ____联网
获取____ ____变化 ____管理 分析____

二、选择正确的词语填空 (Choose the right word to fill in each of the following blanks)：

1. 世界市场____的特点，就是每一个企业都面临着来自国外企业的挑战。（变化、改变）

2. 大家要明确，信息是企业进行决策的____。（根据、依据）

3. 广泛____信息系统进行决策和管理。（采用、利用）

4. 你们必须具有获取和使用信息的____能力。（特殊、特别）

三、听录音，回答问题 (Listen to the recording and then answer the following questions)：

1. 林玉婉问大家："这儿的总裁办公室与国内有什么不同？"职员怎么回答？

2. 关于"信息"，林玉婉说了哪些话？

3. 美国公司的计算机联网率是多少？

4. 在计算机前，几位美国专家正在做什么？

四、**把下面的词组成句子** (Unscramble the following into normal sentences)：

1. 能力　必须　你们　具有　信息　获取　使用
   和　的

2. 的　在　管理　信息　中　越来越　起着
   作用　重要

3. 企业　挑战　着　内　国　面临　外　的
   公司

4. 正在　分析　处理　和　我　进行　信息

五、**回答问题** (Answer the following questions)：

1. 贵国公司对职工进行哪些方面的培训？包括计算机操作吗？

2. 人们常说，现在是信息时代，信息就是效益，就是金钱。你怎么看？

3. 请举一、二具体实例，谈谈信息对你日常生活的
影响。

第十六课　质量管理

（公司职员完成培训任务后，返回北京。）

林玉婉：这次出来参观，有什么感受？

苗秋萍：好像一切都在高速运转中。

李　莎：工人工作得很认真，也很紧张。

赵雨生：美国的管理模式，有科学的组织和严格的生产程序。

林玉婉：是啊，就说车间里吧，需要多少工位，完成一道工序需要多少时间，都是经过精确计算和严格工序设计确定的。

苗秋萍：所以有人说，美国工人就是拧在机器上的螺丝钉。

林玉婉：这话不完全对。美国的企业也十分重视人的因素。一位中国记者曾经问过我们公司总裁，你们成功的主要原因是什么？总裁回答说："人"。

沈宏业：林总，在我们东方，重视人的因素，更是一个传统，对吧？

林玉婉：对。中国人做什么事都讲天时、地利、人和。所以，企业管理的核心始终是对人的管理。

李　莎：林总是中外结合式管理观念。

林玉婉：不管怎样，不能忘记质量。质量是效益，是企业的生命嘛！

沈宏业：对质量的重要性和严格管理,我们在认识上还有不小的差距。

林玉婉：中国与美国文化不同,但提高产品质量的核心是提高人的素质,这一点是相同的。回去后,大家休息两天。不过,我现在出一个题目,你们回去思考一下。

李　莎：什么题目？

林玉婉：在我们的合资企业管理中,如何提高人的素质,达到低成本条件下提高质量的目的。

李　莎：林总,你先让我们睡个好觉再说吧。

Zhìliàng Guǎnlǐ

(Gōngsī zhíyuán wánchéng péixùn rènwù hòu, fǎnhuí Běijīng.)

Lín Yùwǎn：　Zhè cì chūlái cānguān, yǒu shénme gǎn-shòu?

Miáo Qiūpíng：Hǎoxiàng yíqiè dōu zài gāosù yùnzhuǎn zhōng.

Lǐ Shā：　Gōngrén gōngzuò de hěn rènzhēn, yě hěn jǐnzhāng.

Zhào Yǔshēng：Měiguó de guǎnlǐ móshì, yǒu kēxué de zǔzhī hé yángé de shēngchǎn chéngxù.

Lín Yùwǎn：　Shì a, jiù shuō chējiān lǐ ba, xūyào duō-shao gōngwèi, wánchéng yídào gōngxù

xūyào duōshao shíjiān, dōushì jīngguò
jīngquè jìsuàn hé yángé gōngxù shèjì
quèdìng de.

Miáo Qiūpíng: Suǒyǐ yǒu rén shuō, Měiguó gōngrén jiùshì
nǐng zài jīqì shàng de luósīdīng.

Lín Yùwǎn: Zhè huà bù wánquán duì. Měiguó de qǐyè
yě shífēn zhòngshì rén de yīnsù. Yí wèi
Zhōngguó jìzhě céngjīng wènguò wǒmen
gōngsī zǒngcái, nǐmen chénggōng de
zhǔyào yuányīn shì shénme? Zǒngcái
huídá shuō: "Rén".

Shěn Hóngyè: Línzǒng, zài wǒmen dōngfāng, zhòngshì
rén de yīnsù, gèng shì yí gè chuántǒng,
duì ba?

Lín Yùwǎn: Duì. Zhōngguórén zuò shénme shì dōu
jiǎng tiānshí, dìlì, rénhé. Suǒyǐ, qǐyè
guǎnlǐ de héxīn shǐzhōng shì duì rén de
guǎnlǐ.

Lǐ Shā: Línzǒng shì Zhōng-wài jiéhéshì guǎnlǐ
guānniàn.

Lín Yùwǎn: Bùguǎn zěnyàng, bùnéng wàngjì zhìliàng.
Zhìliàng shì xiàoyì, shì qǐyè de
shēngmìng ma!

Shěn Hóngyè: Duì zhìliàng de zhòngyàoxìng hé yángé
guǎnlǐ, wǒmen zài rènshi shàng háiyǒu bù
xiǎo de chājù.

Lín Yùwǎn: Zhōngguó yǔ Měiguó wénhuà bù tóng, dàn

tígāo chǎnpǐn zhìliàng de héxīn shì tígāo
rén de sùzhì, zhè yìdiǎn shì xiāngtóng de.
Huíqù hòu, dàjiā xiūxi liǎng tiān. Búguò,
wǒ xiànzài chū yí ge tímù, nǐmen huíqù
sīkǎo yíxià.

Lǐ Shā: Shénme tímù?

Lín Yùwǎn: Zài wǒmen de hézī qǐyè guǎnlǐ zhōng, rú-
hé tígāo rén de sùzhì, dádào dī chéngběn
tiáojiàn xià tígāo zhìliàng de mùdì.

Lǐ Shā: Línzǒng, nǐ xiān ràng wǒmen shuì ge hǎo
jiào zài shuō ba.

Quality Control

(After finishing the training, the staff members
are coming back to Beijing.)

Lin Yuwan: What has impressed you during this visit?

Miao Qiuping: It seems everything is moving fast.

Li Sha: The workers are working seriously and in-
tensively.

Zhao Yusheng: The American mode of management has
scientific organization and strict produc-
tion procedure.

Lin Yuwan: That's true. In the workshops for in-
stance, how many stations needed, and

how much time for each process are determined after careful calculation and design.

Miao Qiuping: So it is said that American workers are screws fixed on the machine.

Lin Yuwan: That's not entirely correct. American firms also attach great importance to human factors. Once a Chinese reporter asked our president: "What is the main reason for your success?" Our president answered promptly that it was the people.

Shen Hongye: General Manager Lin, in the East it is even more of a tradition to attach importance to human factors. Is that right?

Lin Yuwan: That's right. In all things, the Chinese people have always sought the blessing of Heaven and Earth and especially the support of the people. Therefore, the heart of enterprise management is always the management of human resources.

Li Sha: The management concept of General Manager Lin's is a combination of the Chinese and the foreign.

Lin Yuwan: Whatever the situation, we can't forget quality. Quality means efficiency and is the lifeline of the enterprise.

Shen Hongye： We still have a big gap in our understand-
ing of the importance of quality and strict
management.

Lin Yuwan： China and the U. S. have different cul-
tures, but one thing remains the same,
that is, the key to raising product quality
is to improve the quality of people. Ev-
erybody will have two days' rest. But I'll
raise a question now for you to think
over.

Li Sha： What's the question?

Lin Yuwan： In the management of our joint venture,
how to improve the quality of people and
achieve the goal of improving the quality
while maintaining low cost?

Li Sha： General Manager Lin, please let us have a
good sleep first.

生 词
New Words

运转	yùnzhuǎn	operate, turn round
模式	móshì	mode
组织	zǔzhī	organization
程序	chéngxù	procedure
工位	gōngwèi	station

工序	gōngxù	working procedure, process
精确	jīngquè	accurate, precise
拧	nǐng	twist, fix by screwing
机器	jīqì	machine
螺丝钉	luósīdīng	screw
天时	tiānshí	Heaven's favorable weather, timeliness
地利	dìlì	earth's advantageous terrain
人和	rénhé	human unity, support of the people
核心	héxīn	neuclus, core, heart
始终	shǐzhōng	from beginning to end, all along
生命	shēngmìng	life
差距	chājù	gap, disparity
题目	tímù	topic, exam question, exercise problem
思考	sīkǎo	ponder over, reflect on
素质	sùzhì	character, quality

重点句
Key Sentences

1. 你们成功的主要原因是什么？
   Nǐmen chénggōng de zhǔyào yuányīn shì shénme?
   What is the main reason for your success?
2. 中国人做什么事都讲天时、地利、人和。

Zhōngguórén zuò shénme shì dōu jiǎng tiānshí, dìlì, rénhé.

In all things, the Chinese people have always sought the blessing of Heaven and Earth and especially the support of the people.

3. 企业管理的核心始终是对人的管理。

Qǐyè guǎnlǐ de héxīn shǐzhōng shì duì rén de guǎnlǐ.

The heart of enterprise management is always the management of human resources.

4. 质量是效益,是企业的生命嘛!

Zhìliàng shì xiàoyì, shì qǐyè de shēngmìng ma!

Quality means efficiency and is the lifeline of the enterprise.

5. 我们在认识上还有不小的差距。

Wǒmen zài rènshi shàng háiyǒu bù xiǎo de chājù.

We still have a big gap in our understanding.

6. 提高产品质量的核心是提高人的素质。

Tígāo chǎnpǐn zhìliàng de héxīn shì tígāo rén de sùzhì.

The key to raising product quality is to improve the quality of people.

注　释
Notes

1. 第二个重点句：中国人做什么事都讲天时、地利、人和。

　　句中的"讲"，是"讲究""重视"和"努力做到"的意思，没有"讲话""谈论"的意思。又例如，"做生意要讲道德，讲信誉，讲效益。"其中的"讲"字都是这个用法。"天时"，指自然时序和阴晴寒暑的变化，也即有利的时机；"地利"，指有利的地势；"人和"，指人心所向，和睦团结。

Key Sentence No. 2： In all things, the Chinese people have always sought the blessing of Heaven and earth and especially the support of the people.

　　讲 in the sentence means "devote particular care to", "pay attention to", and "try hard to achieve". It doesn't mean "speak of", or "talk about". Another example：In doing business, one should lay stress on ethics, on reputation and on effectiveness. 讲 here is used in the same way. 天时 refers to the natural changes of the time and the climate, meaning a good opportunity. 地利 refers to the favourable geographical position. 人和 refers to the popular sentiment and the harmony and unity of the people.

2. 相关文化背景知识：

　　中国儒家学派，在孔子之后，有一位伟人，叫孟轲，人称孟子。他曾经说过："天时不如地利，地利不如人和。"孟子用打仗作例子,给他的学生讲解治理国家的道理。他说打仗的时候,有好的时机,往往不能打胜仗,这是因为没有好地势;但有了好时机、好地势,有时也不能不弃城逃跑,这是因为不得人心。因此,孟子说,得人心者才能得天下。孟子的这个思想,对中国历代统治者有十分深刻的影响。这个思想,也为普通老百姓所接受,在政治、经济和日常生活中,具有广泛的指导意义和实际运用价值。

Cultural Background:

Meng Ke (Mencius) was a great personage of the Confucian school after Confucius. He once said: "The time isn't as important as the terrian, but the terrian isn't as important as unity of the people." He used battles as an example to tell his disciples how a state should be governed. He said that in fighting a battle one could not win just with the opportune time, if the geographical position was not right. Sometimes even with both the right time and geographical position one still had to abandon the city and flee. That was because he didn't have the support of the people. Therefore, Mencius said that he who won the people would win the state power. This idea had great influence on the rulers of later dynasties in Chinese history. It has also been popular among the Chinese people, and widely used in politics, economics and daily life.

练　习
Exercises

一、组词后写出拼音（Complete the following phrases and then give the phonetic notation）：

严格＿＿＿　传统＿＿＿　＿＿＿素质　思考＿＿＿

＿＿＿核心　＿＿＿原因　＿＿差距　＿＿成本

二、选择正确的词语填空（Choose the right word to fill in each of the following blanks）：

1. 这次出来参观，有什么＿＿＿？（感受、感觉）

2. 提高产品质量的＿＿＿是提高人的素质。（中心、核心）

3. 我现在出一个题目，你们回去＿＿＿一下。（思考、考虑）

4. 完成一道工序需要多少时间，都是经过＿＿＿计算和＿＿＿的工序设计确定的。（精确、精密；严密、严格）

三、听录音，回答问题（Listen to the recording and then answer the following questions）：

1. 林玉婉认为企业管理的核心是什么？

2. 沈宏业说，中国人在做事时，有一个传统，林玉婉立即表示同意，她是怎么说的？

3. 质量对一个企业来讲意味着什么?

4. 林玉婉给大家出了一个什么题目?

四、把下面的词组成句子 (Unscramble the following into normal sentences):

1. 努力　提高　的　人　要　素质　企业

2. 是　主要　什么　成功　的　你们　原因

3. 始终　核心　管理　企业　人　的　对　管理
是

4. 差距　认识　上　有　我们　在　还

5. 人和　天时　中国人　做　事　什么　讲
都　地利

五、回答问题 (Answer the following questions):

1. 你在哪方面取得了成功? 成功的主要原因是什么?

2. 你认为怎样才能提高人的素质?

3. "企业管理的核心始终是对人的管理。"你同意这个看法吗? 请说说你的理由。

第十七课　成本与利润

（林玉婉与职员讨论成本与利润问题。）

沈宏业：林总，咱们又输了！

林玉婉：没关系，等会儿赢他们。

李　莎：吴总，咱们再开一局吧！

吴国栋：我老了，不能陪你们年轻人了。

李　莎：你哪儿老？你要是没结婚，我非把你追到手不可。
　　　　林总，你说可以吗？

林玉婉：就你鬼主意多！

吴国栋：她从美国回来，变得更疯了。

比　尔：不是更疯了，是更开放了！

林玉婉：我想请大家讨论一个新问题。我们的合资企业就
　　　　要投产了，我们的目标是投产的第一年就要盈
　　　　利。

司马向梅：我想，为了实现利润目标，应该有合理的销售
　　　　量。

赵雨生：对，利润是同成本、销售量有关的。

沈宏业：我想还不能只从成本、销售量和利润的关系来考
　　　　虑。政府的政策和宏观调控，对市场仍然有很大
　　　　的影响力。

吴国栋：对啰！这就是我们的国情。比如，国家调整减免
　　　　税政策和外汇汇率，都会直接影响销售量和利

　　　　·　润。

比　　尔：市场需求弹性也直接影响到价格和销售量。

李　　莎：目前，汽车在我国主要还是公费消费，市场弹性
　　　　　　不大。

沈宏业：可能很大，也可能很小。十几年前，黑白电视机还
　　　　　　是稀有物品，可谁能料到，没过四五年，彩电哗啦
　　　　　　一下子就普及了。

林玉婉：说得好！经营过程中的许多可变因素确实难以预
　　　　　　测。所以，我们要有超前意识和预见能力。

吴国栋：同时，我们还可以采取一些相应措施。

赵雨生：对！比如减少固定成本，改变生产品种结构。

林玉婉：沈先生，根据大家的讨论，你先订一个实现利润
　　　　　　目标的计划。

沈宏业：我尽力而为吧！

林玉婉：应该说，一定做好！怎么样，再赛一局？

李　　莎：好！

Chéngběn yǔ Lìrùn

(Lín Yùwǎn yǔ zhíyuán tǎolùn chéngběn yǔ lìrùn
wèntí.)

Shěn Hóngyè：　Línzǒng, zánmen yòu shū le!

Lín Yùwǎn：　　Méi guānxi, děng huìr yíng tāmen.

Lǐ Shā：　　　　Wú zǒng, zánmen zài kāi yì jú ba!

Wú Guódòng：　Wǒ lǎo le, bùnéng péi nǐmen niánqīng rén

le.

Lǐ Shā： Nǐ nǎr lǎo? Nǐ yàoshì méi jiéhūn, wǒ fēi
bǎ nǐ zhuīdào shǒu bùkě. Línzǒng, nǐ
shuō kěyǐ ma?

Lín Yùwǎn： Jiù nǐ guǐ zhǔyì duō!

Wú Guódòng： Tā cóng Měiguó huílái, biàn de gèng fēng
le.

Bǐ'ěr： Búshì gèng fēng le, shì gèng kāifàng le!

Lín Yùwǎn： Wǒ xiǎng qǐng dàjiā tǎolùn yí ge xīn
wèntí. Wǒmen de hézī qǐyè jiùyào
tóuchǎn le, wǒmen de mùbiāo shì tóuchǎn
de dì-yī nián jiù yào yínglì.

Sīmǎ Xiàngméi： Wǒ xiǎng, wèile shíxiàn lìrùn mùbiāo,
yīnggāi yǒu hélǐ de xiāoshòuliàng.

Zhào Yǔshēng： Duì, lìrùn shì tóng chéngběn, xiāoshòu-
liàng yǒuguān de.

Shěn Hóngyè： Wǒ xiǎng hái bùnéng zhǐ cóng chéngběn,
xiāoshòuliàng hé lìrùn de guānxì lái kǎolǜ.
Zhèngfǔ de zhèngcè hé hóngguān
tiáokòng, duì shìchǎng réngrán yǒu
hěndà de yǐngxiǎnglì.

Wú Guódòng： Duì luo! Zhè jiùshì wǒmen de guóqíng.
Bǐrú, guójiā tiáozhěng jiǎn-miǎnshuì
zhèngcè hé wàihuì huìlǜ, dōu huì zhíjiē
yǐngxiǎng xiāoshòuliàng.

Bǐ'ěr： Shìchǎng xūqiú tánxìng yě zhíjiē yǐng-
xiǎng dào jiàgé hé xiāoshòuliàng.

Lǐ Shā: Mùqián, qìchē zài wǒguó zhǔyào háishì gōngfèi xiāofèi, shìchǎng tánxìng bú dà.

Shěn Hóngyè: Kěnéng hěn dà, yě kěnéng hěn xiǎo. Shíjǐ nián qián, hēi-bái diànshìjī háishì xīyǒu wùpǐn, kě shuí néng liàodào, méi guò sì-wǔ nián, cǎidiàn huālā yíxiàzi jiù pǔjí le.

Lín Yùwǎn: Shuō de hǎo! Jīngyíng guòchéng zhōng de xǔduō kěbiàn yīnsù quèshí nányǐ yùcè. Suǒyǐ, wǒmen yào yǒu chāoqián yìshì hé yùjiàn nénglì.

Wú Guódòng: Tóngshí, wǒmen hái kěyǐ cǎiqǔ yìxiē xiāngyìng cuòshī.

Zhào Yǔshēng: Duì! Bǐrú jiǎnshǎo gùdìng chéngběn, gǎibiàn shēngchǎn pǐnzhǒng jiégòu.

Lín Yùwǎn: Shěn xiānsheng, gēnjù dàjiā de tǎolùn, nǐ xiān dìng yí ge shíxiàn lìrùn mùbiāo de jìhuà.

Shěn Hóngyè: Wǒ jìnlì ér wéi ba!

Lín Yùwǎn: Yīnggāi shuō, yídìng zuò hǎo! Zěnmeyàng, zài sài yì jú?

Lǐ Shā: Hǎo!

Cost and Profit

(Lin Yuwan and her staff are discussing the

problem of cost and profit.)

Shen Hongye: General Manager Lin, we lost to them a-
gain.

Lin Yuwan: It doesn't matter. We'll beat them later.

Li Sha: General Manager Wu, let's have another
game.

Wu Guodong: I am old and cannot keep you young peo-
ple company any longer.

Li Sha: You are not old. If you are not married,
I'll chase you until I reach my goal. Gen-
eral Manager Lin, what do you say to
this?

Lin Yuwan: You wicked girl.

Wu Guodong: She's become more crazy since she came
back from the States.

Bill: Not more crazy, but more open.

Lin Yuwan: I would like you to discuss a new issue.
Our joint venture is going into operation
very soon. Our goal is to make a profit in
the first year of operation.

Sima Xiangmei: I think a reasonable sales volume is neces-
sary to reach our profit goal.

Zhao Yusheng: Right. Profit is influenced by cost and
sales volume.

Shen Hongye: I think we shouldn't just consider the re-
lations between cost, sales volume and

	profit. Government policies and overall adjustment and control also have great influence on the market.
Wu Guodong:	That's right. This is the actual situation in China. For instance, when the state adjusts the tax exemption and reduction rate and the exchange rate, it will directly affect the sales volume and profit.
Bill:	The elasticity of market demand also affects the price and sales volume.
Li Sha:	At present, cars in China are still bought with public funds, and there is little elasticity.
Shen Hongye:	It may be great or small. A dozen years ago, black and white TV sets were scarce. Who would have expected that in four to five years' time, colour TV became popular at one go.
Lin Yuwan:	It's well put. In running a business many variables are difficult to estimate. Therefore we must have the leading consciousness and foreseeability.
Wu Guodong:	At the same time, we can also adopt some appropriate measures.
Zhao Yusheng:	Right, such as reducing fixed cost and changing the product mix.
Lin Yuwan:	Mr Shen, please draw up a plan for the

realization of our profit goal according to the discussion.

Shen Hongye： I'll do my best.

Lin Yuwan： You should have said："I'll do it well."
How about another game?

Li Sha： Fine.

生　词
New Words

开放	kāifàng	open
盈利	yínglì	make a profit
宏观	hóngguān	macro-
调控	tiáokòng	adjustment and control
调整	tiáozhěng	adjust
减免	jiǎnmiǎn	exemption and reduction
汇率	huìlǜ	exchange rate
弹性	tánxìng	elasticity
公费	gōngfèi	public expense
稀有	xīyǒu	rare，scarce
料到	liàodào	foresee，expect
可变	kěbiàn	variable
预见	yùjiàn	foresee，predict
超前	chāoqián	lead
意识	yìshí	consciousness，awareness
相应	xiāngyīng	corresponding，appropriate

固定	gùdìng	fixed, regular
改变	gǎibiàn	change, alter
尽力而为	jìnlì ér wéi	do one's best

重点句
Key Sentences

1. 我们的目标是投产的第一年就要盈利。

   Wǒmen de mùbiāo shì tóuchǎn de dì-yī nián jiù yào yínglì.

   Our goal is to make a profit in the first year of operation.

2. 为了实现利润目标，应该有合理的销售量。

   Wèile shíxiàn lìrùn mùbiāo, yīnggāi yǒu hélǐ de xiāoshòuliàng.

   A reasonable sales volume is necessary to reach our profit goal.

3. 利润是同成本、销售量有关的。

   Lìrùn shì tóng chéngběn, xiāoshòuliàng yǒuguān de.

   Profit is influenced by cost and sales volume.

4. 市场需求弹性也直接影响到价格和销售量。

   Shìchǎng xūqiú tánxìng yě zhíjiē yǐngxiǎng dào jiàgé hé xiāoshòuliàng.

   The elasticity of market demand also affects the price and sales volume.

5. 经营过程中的许多可变因素确实难以预测。

Jīngyíng guòchéng zhōng de xǔduō kě biàn yīnsù quèshí nányǐ yùcè.

In running a business, many variables are difficult to estimate.

6. 我们还可以采取一些相应措施。

Wǒmen hái kěyǐ cǎiqǔ yìxiē xiāngyìng cuòshī.

We can also adopt some appropriate measures.

注　释
Notes

1. 第二个重点句：为了实现利润目标，应该有合理的销售量。

"为了"，介词，介绍动作或行为的目的。由"为了"组成的介词结构，或放在句子的开头，修饰整个句子，后面要有停顿（书面上要用逗号隔开）；或放在句子主语的后边，修饰谓语。例如，"为了增加利润，就应该降低成本。"前一个分句是目的，后一个分句是实现目的的途径。又例如，"我们公司的全体员工为了实现今年的利润目标而努力工作。"

Key Sentence No. 2： A reasonable sales volume is necessary to reach our profit goal.

为了 is a preposition introducing the goal of an action or behaviour. The prepositional phrase with 为了 can be placed either at the beginning of the sentence, with a pause (or a comma in the written form) after it, modifying the whole sentence, or after the subject of the sentence, modifying the predicate. For instance, in "In order to increase the profit, we should lower the cost", the first part is the goal and the latter half is the way to this goal. Another example is: "All the staff in our company, in order to reach our profit goal, are working extremely hard."

2. 相关文化背景知识：

中国是一个社会主义国家。改革开放以前,实行的是计划经济。改革开放以后,中国的国民经济逐渐向市场经济体制过渡。但这是有中国特色的社会主义市场经济。这种经济体制,不仅要求经济发展遵循市场经济规律,而且要求加强政府对市场的宏观调控能力,以保证市场运行向有利于国家经济建设的方向发展。国家宏观调控,当然不是行政干预,而是正确的政策指导和实施。比如,本课中提到的减免税政策和银行利率政策,就是调控进出口商品的一种措施。

Cultural Background:

China is a socialist country. Before the reform and opening, it practised planned economy. After the reform and opening, its national economy is taking a transition to a market economic system. But this is socialist market economy with Chinese characteristics. It not only demands that economic development follows market economic laws, but also requires that the government strengthens its ability in macro-adjustments and control of the market. The macro-adjustments and control by the state is not by administrative intervention but by the correct policies. For instance，such policies concerning tax exemption and reduction and interest rate are measures to regulate and control the import and export of commodities.

练　习
Exercises

一、组词后写出拼音 (Complete the following phrases and then give the phonetic notation)：

_____目标　影响_____　_____措施　_____因素
_____调控　合理_____　预测_____　_____结构

二、选择正确的词语填空 (Choose the right word to fill in each of the following blanks)：

1. 国家_____减免税和外汇汇率，会直接影响到价格和销售量。（调节、调整）

2. 经营过程中的许多可变_____确实难以预测。（因素、原因）

3. 我们还可以_____一些相应措施。（采用、采取）

4. 十几年前黑白电视机还是_____物品。（少有、稀有）

5. 谁能料到，没过四五年，彩电哗啦一下子就_____了。（普通、普及）

三、听录音，回答问题 (Listen to the recording and then

answer the following questions）：

　　1. 林玉婉的目标是什么？

　　2. 影响销售量和利润的原因有哪些？

　　3. 经营过程中有哪些可变的因素难以预测？

　　4. 赵雨生提出了哪些相应措施？

四、把下面的词组成句子（Unscramble the following into
　　normal sentences）：

　　1. 盈利　就　我们　第一　要　年　是　投产
　　　　目标　的

　　2. 有　目标　为了　合理　实现　的　利润
　　　　应该　销售量

　　3. 直接　价格　销售量　市场　弹性　影响　和

　　4. 采取　措施　一些　我们　相应　了

　　5. 可变　中　估计　难以　经营　因素　许多
　　　　的　有

五、回答问题（Answer the following questions）：

　　1. 谈谈你对中国国情的了解。

2. 你了解哪些合资企业在中国获得了成功？

3. 请你分析一下,经营中都有哪些可变因素？

第十八课　市场与价格

（林玉婉等作汽车市场和价格调查。）

林玉婉：京剧唱段确实很讲究,越听越有味儿。我们的产
　　　　品就要投放市场了,就在这儿调查一下行情吧。

李　莎：小姐,您好！请问您想买小轿车吗？

小　姐：当然想啦,可现在还买不起。

李　莎：要是低档车呢？

小　姐：价格也还偏高一点儿。

李　莎：谢谢！　先生,您想买车吗？

先　生：正准备买,可还没有找到合适的。

李　莎：你看看,这都是我们公司专门为中国研制的汽
　　　　车。这种车最高时速 150 公里,耗油量不大。

先　生：这种微型车,放东西不方便。

李　莎：那,你看这种车怎么样？

先　生：多少钱一辆？

李　莎：大概七八万元。

比　尔：根据调查的情况看,市场的潜在需求量很大,但
　　　　消费者目前的承受力还有限。

林玉婉：现在的市场,是垄断竞争和寡头垄断的市场,是
　　　　一种不完全竞争市场。中国也不例外。少数几家
　　　　大企业,往往是最大的生产商,他们垄断了产
　　　　品。

吴国栋：是啊。因此，我们还要考虑寡头操纵市场价格的
　　　　因素。

李　莎：我们考虑到了这个因素，抄了一份中国市场汽车
　　　　价格表，请总经理看看。

林玉婉：很有参考价值。

吴国栋：我们要吸引顾客，迅速占领市场，价格一定不能
　　　　太高。林总，你说呢？

林玉婉：你说得对，我们各种车型的汽车，都按较低的价
　　　　格推向市场！

Shìchǎng yǔ Jiàgé

(Lín Yùwǎn děng zuò qìchē shìchǎng hé jiàgé diàochá.)

Lín Yùwǎn： Jīngjù chàngduàn quèshí hěn jiǎngjiu, yuè
　　　　　　tīng yuè yǒu wèir. Wǒmen de chǎnpǐn
　　　　　　jiùyào tóufàng shìchǎng le, jiù zài zhèr
　　　　　　diàochá yíxià hángqíng ba.

Lǐ Shā： Xiǎojie, nín hǎo! Qǐngwèn nín xiǎng mǎi
　　　　　xiǎo jiàochē ma?

Xiǎojie： Dāngrán xiǎng la, kě xiànzài hái mǎi bù qǐ.

Lǐ Shā： Yàoshì dīdàng chē ne?

Xiǎojie： Jiàgé yě hái piān gāo yìdiǎnr.

Lǐ Shā： Xièxie! Xiānsheng, nín xiǎng mǎi chē ma?

Xiānsheng： Zhèng zhǔnbèi mǎi, kě hái méiyǒu zhǎodao

               héshì de.

Lǐ Shā： Nǐ kànkan, zhè dōu shì wǒmen gōngsī zhuānmén wèi Zhōngguó yánzhì de qìchē. Zhè zhǒng chē zuì gāo shísù yìbǎi wǔshí gōnglǐ, hàoyóuliàng bú dà.

Xiānsheng： Zhè zhǒng wēixíng chē, fàng dōngxi bù fāngbiàn.

Lǐ Shā： Nà, nǐ kàn zhè zhǒng chē zěnmeyàng?

Xiānsheng： Duōshao qián yíliàng?

Lǐ Shā： Dàgài qī-bā wàn yuán.

Bǐ'ěr： Gēnjù diàochá de qíngkuàng kàn, shìchǎng de qiánzài xūqiúliàng hěn dà, dàn xiāofèizhě mùqián de chéngshòulì hái yǒuxiàn.

Lín Yùwǎn： Xiànzài de shìchǎng, shì lǒngduàn jìng- zhēng hé guǎtóu lǒngduàn de shìchǎng, shì yì zhǒng bù wánquán jìngzhēng shìchǎng. Zhōngguó yě bú lìwài. Shǎoshù jǐ jiā dà qǐyè, wǎngwǎng shì zuì dà de shēngchǎn shāng, tāmen lǒngduàn le chǎnpǐn.

Wú Guódòng： Shì a. Yīncǐ, wǒmen hái yào kǎolù guǎtóu cāozòng shìchǎng jiàgé de yīnsù.

Lǐ Shā： Wǒmen kǎolùdào le zhège yīnsù, chāo le yí fèn Zhōngguó shìchǎng qìchē jiàgébiǎo, qǐng zǒngjīnglǐ kànkan.

Lín Yùwǎn： Hěn yǒu cānkǎo jiàzhí.

Wú Guódòng： Wǒmen yào xīyǐn gùkè, xùnsù zhànlǐng

shìchǎng, jiàgé yídìng bùnéng tài gāo,
Lín zǒng, nǐ shuō ne?

Lín Yùwǎn: Nǐ shuō de duì, wǒmen gèzhǒng chēxíng
de qìchē, dōu àn jiào dī de jiàgé tuīxiàng
shìchǎng!

Market and Price

(Lin Yuwan and her party are investigating the
auto market and the price.)

Lin Yuwan: Beijing opera is really an art and has a
special pleasing quality. We'll soon mar-
ket our products. Let's make a market
survey right here.

Li Sha: Hello, Miss, may I ask if you plan to buy
a car?

Young Lady: I would like to, but I can't afford it.

Li Sha: What about cheap cars?

Young Lady: Their price is also on the high side.

Li Sha: Thank you. Mister, do you plan to buy a
car?

Man: I want to, but I haven't found anything
suitable.

Li Sha: Please have a look. These are the cars we
have designed for China. The maximum

	speed of this car is 150 kilometers per hour, with a small gas consumption.
Man:	This mini car can't take many things.
Li Sha:	Then, how do you like this car?
Man:	How much is it?
Li Sha:	About 70 to 80 thousand yuan.
Bill:	According to our survey, the potential market demand is substantial, but consumers' tolerance is still limited at present.
Lin Yuwan:	The present market is an oligopoly with monopolized competition. It is a market with incomplete competition. And China is no exception. A few large enterprises, normally the largest producers, have monopolized the products.
Wu Guodong:	Yes, so we need to consider the factor of magnates manipulating the market price.
Li Sha:	We are aware of this factor. We have copied a price list for cars in the Chinese market. Please have a look at it, General Manager.
Lin Yuwan:	It has good reference value.
Wu Guodong:	If we want to attract the customers and capture the market rapidly, our price mustn't be too high. What would you say, General Manager Lin?

Lin Yuwan： You are right. We'll push all models of our cars onto the market at relatively low prices.

生　　词
New Words

讲究	jiǎngjiu	requiring careful study
有味儿	yǒu wèir	have charm，have special appeal
投放	tóufàng	put into circulation，put on the market
偏	piān	inclined to one side
研制	yánzhì	develop
时速	shísù	speed per hour
耗油（量）	hàoyóu(liàng)	gas consumption（volume）
承受（力）	chéngshòu(lì)	bear，endure（capacity）
垄断	lǒngduàn	monopolize
寡头	guǎtóu	oligarch，magnate
例外	lìwài	exception
操纵	cāozòng	manipulate
考虑	kǎolǜ	consider
抄	chāo	copy
参考	cānkǎo	reference
占领	zhànlǐng	capture，seize
推向	tuīxiàng	push towards

重点句
Key Sentences

1. 我们的产品就要投放市场了。

   Wǒmen de chǎnpǐn jiùyào tóufàng shìchǎng le.

   We will soon market our products.

2. 市场的潜在需求量很大。

   Shìchǎng de qiánzài xūqiúliàng hěn dà.

   The potential market demand is substantial.

3. 消费者目前的承受力还有限。

   Xiāofèizhě mùqián de chéngshòulì hái yǒuxiàn.

   Consumers' tolerance (toward market changes) is still limited at present.

4. 现在的市场是垄断竞争和寡头垄断的市场。

   Xiànzài de shìchǎng shì lǒngduàn jìngzhēng hé guǎtóu lǒngduàn de shìchǎng.

   The present market is an oligopoly with monopolized competition.

5. 中国也不例外。

   Zhōngguó yě bú lìwài.

   China is no exception.

6. 我们考虑到了这个因素。

   Wǒmen kǎolù dào le zhège yīnsù.

   We are aware of this factor.

注　释
Notes

1. 第一个重点句：我们的产品就要投放市场了。

　　"就要"，副词，表示动作、事件即将发生。"就"和"要"，在汉语中是出现频率很高的常用词，意义多，用法灵活。作为副词，都可以单独用。例如，"请你等一下，我就来。""你看，天要下雨了。"这两句中的"就"、"要"都是"立即"、"即将"的意思。"就""要"合用，意思也一样。例如，"我们的工厂就要投产了。""我们的讨论就要结束了。"

Key Sentence No. 1：　We'll soon market our products.

　　就要 is an adverb indicating that an action or event will take place very soon. Both 就 and 要 are among the most frequently used Chinese vocabulary with many meanings, which can be used flexibly. As an adverb, either of them can be used singly. For instance，"Just a moment，I'll be back right away." "Look，it's about to rain." 就 or 要 in these sentences means "immediately"，or "be about to". When 就 and 要 are used together，they mean the same thing. For instance："Our factory is about to go into operation." "Our discussion is going to end soon."

2. 相关文化背景知识：

　　关于中国消费者的承受能力，这是一个非常复杂的问题。总的来说，由于中国经济的调整发展，人民生活水平的不断提高,消费能力也大大增强了。外国的许多高档商品,在中国十分畅销,甚至使外国人都感到吃惊,就是明证。但是,中国人的消费水平极不平衡。高收入、高消费者,在中国还是少数;绝大多数人还刚刚摆脱贫困,实现温饱,向小康生活过渡,因此,消费能力还很有限。消费水平是一个动态因素,对于商家来说,是一个随时都需要研究的课题。

Cultural Background:

Tolerance on the part of Chinese consumers is a complicated question. Generally speaking, owing to the rapid growth of China's economy, its people's living standard has been rising constantly with a much-improved consumption power. An obvious evidence is that many high-grade goods from abroad have found a ready market in China, which has greatly surprised foreigners. But the level of consumption in China is extremely unequal. People with high income and high consumption are still few, and the majority have just shaken off poverty and had enough food and clothing, embarking on the road towards a better-off life. Therefore, their consumption power is still limited. The level of consumption is a dynamic factor, and a question that needs to be constantly studied by businessmen.

练　习
Exercises

一、组词后写出拼音（Complete the following phrases and then give the phonetic notation）：

投放____　垄断____　参考____　____情况

____行情　____合适　占领____　____顾客

二、选择正确的词语填空（Choose the right word to fill in each of the following blanks）：

1. 我们的产品就要投放市场了，就在这儿____一下行情吧。（考察、调查）

2. 这种微型车，放东西不____。（随便、方便）

3. 正准备买，可还没有找到____的。（合适、适合）

4. ____的市场是垄断竞争和寡头垄断的市场。（目前、现在）

5. 我们要____顾客，迅速占领市场，价格一定不能太高。（吸引、引诱）

三、听录音，回答下列问题（Listen to the recording and then answer the following questions）：

1. 林玉婉带着比尔、李莎到公园去干什么？

2. 根据调查情况，比尔说了什么？

3. 林玉婉说："现在的市场"是什么市场？

4.吴国栋向林玉婉提了个什么建议？

四、把下面的词组成句子 (Unscramble the following into normal sentences)：

1.市场 投放 的 了 产品 就 我们 要

2.市场 市场 的 的 垄断 垄断 和 现在 寡头 竞争 是

3.因素 了 考虑 我们 这个

4.承受力 目前 有限 的 消费者

5.大 潜在 很 的 市场 需求量

五、回答问题 (Answer the following questions)：

1.你在北京街头看见跑着各式各样的汽车，请谈谈你的印象和看法。

2.你对中国的汽车市场怎么看？

3.林玉婉："现在的市场是垄断竞争和寡头垄断的市场。"你怎么看？

第十九课　新车演示会

（某汽车教练场，正在举行新型汽车演示会。）

吴国栋：现在，请我们公司美方经理林玉婉女士讲话。

林玉婉：女士们，先生们！我们公司研制了一个系列的中国家庭经济型轿车。今天这个新车演示会，不只是表演、示范给大家看，我们还欢迎今天的来宾们亲自去试试车。

来　宾：不会开车的人也可以试吗？

林玉婉：当然可以。欢迎你来试试！

记者甲：好新奇的推销方式！

记者乙：等会儿，肯定有好镜头。

李　莎：请注意！前面比尔先生开的一辆车，已经达到每小时 120 公里。好！一个急转弯，操纵灵敏，车身扭转自如！

来　宾：太棒了！

李　莎：现在有两辆车相对开来。啊，有辆车像个"醉汉"。危险！要撞车了！啊，两辆车安全地错开了。

记者甲：小姐，你的技术太好了！请问，你开车有几年了？

小　姐：这是第二次开车！

记者甲：不可能！刚才眼看就要撞上了，那你是怎么躲过的？

小　姐：我也不知道。

李　莎：大家可以去看看。这两辆轿车都有智能型电子系
　　　　统，能够帮助驾驶员处理各种情况，所以那位小
　　　　姐安然无恙。

来　宾：买车就得买这样的车！安全！

记者甲：林总经理，我参加过很多新产品发布会、展销会，
　　　　都没有这个演示会新奇，精彩！请问，你是怎么考
　　　　虑的？

林玉婉：我们公司制订了一个很明确的公关策略，要通过
　　　　这个活动，建立起良好的产品形象和企业形象。

记者甲：你们这次公关活动策划得很成功。公关的目的和
　　　　内容很明确。

林玉婉：谢谢！我想，我们争取到了对企业有利的宣传效
　　　　果。

Xīnchē Yǎnshìhuì

（Mǒu qìchē jiàoliànchǎng, zhèngzài jǔxíng
xīnxíng qìchē yǎnshìhuì.）

Wú Guódòng：Xiànzài, qǐng wǒmen gōngsī Měifāng jīnglǐ
　　　　　　Lín Yùwǎn nǚshì jiǎnghuà.

Lín Yùwǎn：　Nǚshìmen, xiānshengmen! Wǒmen gōngsī
　　　　　　yánzhì le yí ge xìliè de Zhōngguó jiātíng
　　　　　　jīngjìxíng jiàochē. Jīntiān zhège xīnchē
　　　　　　yǎnshìhuì, bù zhǐshì biǎoyǎn, shìfàn gěi
　　　　　　dàjiā kàn, wǒmen hái huānyíng jīntiān de

láibīnmen qīnzì qù shìshi chē.

Láibīn: Búhuì kāichē de rén yě kěyǐ shìshi ma?

Lín Yùwǎn: Dāngrán kěyǐ. Huānyíng nǐ lái shìshi!

Jìzhě jiǎ: Hǎo xīnqí de tuīxiāo fāngshì!

Jìzhě yǐ: Děng huìr, kěndìng yǒu hǎo jìngtóu.

Lǐ Shā: Qǐng zhùyì! Qiánmiàn Bǐ'ěr xiānsheng kāi de yíliàng chē, yǐjīng dádào měi xiǎoshí yìbǎi èrshí gōnglǐ. Hǎo! Yí ge jí zhuǎnwān, cāozòng língmǐn, chēshēn niǔzhuǎn zìrú!

Láibīn: Tài bàng le!

Lǐ Shā: Xiànzài yǒu liǎng liàng chē xiāngduì kāilái.

Ā, yǒu liàng chē xiàng gè "zuìhàn". Wēixiǎn! Yào zhuàngchē le! Ā, Liǎng liàng chē ānquán de cuòkāi le.

Jìzhě jiǎ: Xiǎojie, nǐ de jìshù tài hǎo le! Qǐngwèn, nǐ kāichē yǒu jǐ nián le?

Xiǎojie: Zhè shì dì-èr cì kāichē!

Jìzhě jiǎ: Bù kěnéng! Gāngcái yǎnkàn jiùyào zhuàng-shàng le, nà nǐ shì zěnme duǒguò de?

Xiǎojie: Wǒ yě bù zhīdào.

Lǐ Shā: Dàjiā kěyǐ qù kànkan. Zhè liǎng liàng jiào-chē dōu yǒu zhìnéngxíng diànzǐ xìtǒng, nénggòu bāngzhù jiàshǐyuán chǔlǐ gèzhǒng qíngkuàng, suǒyǐ nàwèi xiǎojie ānrán-wúyàng.

Láibīn： Mǎi chē jiù děi mǎi zhèyàng de chē！Ān-
quán！

Jìzhě jiǎ： Lín zǒngjīnglǐ，wǒ cānjiā guò hěn duō xīn
chǎnpǐn fābùhuì，zhǎnxiāohuì，dōu méiyǒu
zhège yǎnshìhuì xīnqí，jīngcǎi！Qǐngwèn，
nǐ shì zěnme kǎolǜ de？

Lín Yùwǎn： Wǒmen gōngsī zhìdìng le yí ge hěn míng-
què de gōngguān cèlüè，yào tōngguò
zhège huódòng，jiànlì qǐ liánghǎo de
chǎnpǐn xíngxiàng hé qǐyè xíngxiàng.

Jìzhě jiǎ： Nǐmen zhècì gōngguān huódòng cèhuà de
hěn chénggōng。Gōngguān de mùdì hé
nèiróng hěn míngquè.

Lín Yùwǎn： Xièxiè！Wǒ xiǎng，wǒmen zhēngqǔ dào le
duì qǐyè yǒulì de xuānchuán xiàoguǒ.

Demonstration of New Auto Models

(On a training ground, a demonstration of new
auto models is going on.)

Wu Guodong： Now let's welcome Ms Lin Yuwan，the
American manager of our company to say
a few words.

Lin Yuwan： Ladies and gentlemen，our company has
designed and produced a series of economi-

cal cars for Chinese households. At today's demonstration of new model cars, we do not just demonstrate, we also welcome our guests to have a try in person.

Guest: Those who don't know how to drive can also have a try?

Lin Yuwan: Of course. You are most welcome to have a go at it.

Reporter A: What a newfangled way to push sales!

Reporter B: I am sure there will be good scenes in a moment.

Li Sha: Look, the car in front driven by Bill has reached a speed of 120 kilometers an hour. Good. A sharp turn with easy operation, and the car turns round smoothly.

Guest: Marvellous!

Li Sha: Now two cars are approaching each other face to face. One of them is like a drunkard. It's dangerous! They are to run into each other. Look, they have missed each other safely.

Reporter A: Miss, your driving technique is excellent. How many years have you been driving?

Young Lady: This is my second time.

Reporter A: That's impossible. It looked as if you were going to run into each other. How did you dodge?

Young Lady: I don't know myself.

Li Sha: You can go and have a look. Both of the two cars are equipped with an intelligent electronic system which can help the driver handle emergencies. That's why that young lady was safe and sound.

Guest: This is the kind of car we should buy. It's safe.

Reporter A: General Manager Lin, I have attended many new-product presentations and exhibitions, but none of them were as new-fangled and marvellous as this one. What are your considerations, may I ask?

Lin Yuwan: Our company has developed a clear public relations strategy. Through this activity, we want to establish a good product and company image.

Reporter A: This public relations activity is well-designed. Both the demonstration and its PR results are impressive.

Lin Yuwan: Thank you. I think we have achieved favorable publicity which is good for our company.

生　词
New Words

演示	yǎnshì	demonstration
新奇	xīnqí	novel，new
镜头	jìngtóu	scene
急	jí	sharp，fast
转弯	zhuǎnwān	turn a corner，make a turn
灵敏	língmǐn	sensitive，agile
扭转	niǔzhuǎn	turn round
自如	zìrú	smoothly，with facility
相对	xiāngduì	face to face，opposite to each other
醉(汉)	zuì(hàn)	drunk (drunkard)
危险	wēixiǎn	dangerous
撞(车)	zhuàng(chē)	bump against，collide (collision of vehicles)
错开	cuò kāi	avoid collision，move out of the way
躲(过)	duǒ(guò)	avoid，dodge (get out of the way)
智能(型)	zhìnéng(xíng)	intellectual power (type)
驾驶	jiàshǐ	drive
安然无恙	ānrán-wúyàng	safe and sound
发布	fābù	issue，release

展销（会）zhǎnxiāo(huì)　display and sell
　　　　　　　　　　　　（commodities fair）
形象　　　xíngxiàng　　image
宣传　　　xuānchuán　　give publicity to，
　　　　　　　　　　　　propagate
效果　　　xiàoguǒ　　　effect，result

重点句
Key Sentences

1. 好新奇的推销方式！
   Hǎo xīnqí de tuīxiāo fāngshì!
   What a newfangled way to push sales!

2. 我参加过很多新产品发布会、展销会。
   Wǒ cānjiā guò hěn duō xīn chǎnpǐn fābùhuì,
   zhǎnxiāohuì.
   I have attended many new-product presentations and
   exhibitions.

3. 我们公司制定了一个很明确的公关策略。
   Wǒmen gōngsī zhìdìng le yí ge hěn míngquè de
   gōngguān cèlüè.
   Our company has developed a clear public relations
   strategy.

4. 你们这次公关活动策划得很成功。
   Nǐmen zhècì gōngguān huódòng cèhuà de hěn
   chénggōng.

This public relations activity is well-designed.

5. 公关的目的和内容很明确。

Gōngguān de mùdì hé nèiróng hěn míngquè.

Both the goal and the content for public relations are clear.

6. 我们争取到了对企业有利的宣传效果。

Wǒmen zhēngqǔ dào le duì qǐyè yǒulì de xuānchuán xiàoguǒ.

We have achieved favorable publicity which is good for our company.

注　　释
Notes

1. **第一个重点句：好新奇的推销方式！**

"好"，在这个句子中是副词，不是形容词，它修饰形容词"新奇"，强调程度深，带有感叹的色彩，意思跟"多么"差不多。因此，这句话可以说成"多么新奇的推销方式！"在一些双音节形容词前，"好"有时也说成"好不"，比如这个句子也可以说成"好不新奇的推销方式"，意思和感情色彩基本一样。又例如，"刚才好险啊！""今天的公关活动太好了，叫人好不高兴！"

Key Sentence No. 1：　What a newfangled way to push sales!

好 in this sentence is an adverb, not an adjective. It modifies the adjective 新奇 (newfangled), emphasizing a high degree, with a colouring of exclamation. Its meaning is similar to that of 多么, which can replace 好 in this key sentence. Before some disyllabic adjectives, 好 can be changed to 好不, with basically the same meaning and e-motional colouring. More examples include: "How dangerous it was just now!" "Today's PR activities were excellent. How pleased I am!"

2. 相关文化背景知识：

公关，是"公共关系"的简称。公共关系，作为一种职业或者一门学科，在国外已经有很长的历史，而出现在中国还是近几年的事。开始，人们对"公关"有一种误解，或者只有一种简单的理解，以为"公关"，就是让一些年轻的小姐去搞好各方面的关系；中国的许多企业家也没有"公关"意识，对搞好企业"公关"缺乏足够认识。随着改革开发的深入，中国的经济理论界出现了"公共关系学"，一些"公关公司"相继成立，中国市场上的各种"公关"活动十分活跃，而且逐渐进入了高层次，在政治、经济生活中发挥着越来越重要的作用。

Cultural Background:

公关 (PR) is short for public relations, which, as a profession or a discipline of study, has had a long history abroad. But it came to be used in China only in recent years. At the beginning, people had a misconception of public relations or took it too simplistically. They thought what it meant was just to ask some young ladies to smoothen certain relations. Many Chinese entrepreneurs didn't have an awareness of public relations, not paying enough attention to it. Along with the deepening of reform and opeing, China's economic theorists started to study public relations seriously. Public relations firms have been established. Public relations activities are dynamic, moving to much higher levels, and playing a more and more important part in China's political and economic life.

练　　习
Exercises

一、组词后写出拼音（Complete the following phrases and then give the phonetic notation）：

　　____展销　操纵____　　____系统　　____交流

　　____策略　完全____　　____自如　　____方式

二、选择正确的词语填空（Choose the right word to fill in each of the following blanks）：

1. 我们公司____了一个系列的中国家庭经济型轿车。（制造、研制）

2. 这两辆轿车都有智能型电子系统，能____驾驶员处理各种情况。（帮忙、帮助）

3. 我____过很多新产品发布会、展销会，都没有这个演示会新奇、精彩。（参加、参观）

4. 我们公司制定了一个＿＿＿＿的公关策略。(明白、明确)

三、**听录音,回答问题** (Listen to the recording and then answer the following questions):

1. 林玉婉公司的推销方式有什么新奇处?

2. 李莎说:"现在有两辆车相对开来。"突然,她很着急,宾客们也惊叫起来。发生了什么事?

3. 记者去采访一个小姐,他们说了些什么?

4. 记者采访林玉婉,他们说了什么?

四、**把下面的词组成句子** (Unscramble the following into normal sentences):

1. 争取　效果　了　到　的　宣传　有利　企业

2. 成功　活动　次　公关　策划　得　这　很

3. 策略　明确　公关　我们　了　制定　的

4. 发布会　新闻　多　很　参加　我　过

五、**回答问题** (Answer the following questions):

1. 你搞过公关活动吗?请举个例子,谈谈你的经历和感受。

2. 你对中国企业的公关工作有何看法？

3. 你参加过新产品的发布会或展销会吗？请谈谈你
   的印象和看法。

第二十课 广告策划

（在公司广告部，林玉婉正在同三家广告公司洽
谈业务。）

苗秋萍：林总，喝点什么吗？

林玉婉：咖啡。你们三家都是著名的广告公司，我想选一
　　　　家，长期为我们公司作广告代理业务。

玛　丽：我想我们美国新颖广告公司可以提供最好的服
　　　　务。

林玉婉：我相信。不过，先请比尔先生谈谈我们的想法吧。

比　尔：我们公司马上要推出一批家庭经济型轿车，我们
　　　　要通过这次广告宣传，激起顾客的购买欲，打开
　　　　中国市场。

林玉婉：这就是说，各位首先要明确这次广告的目标。

顾敬仁：那么，贵公司要作的是通知广告，而不是劝说广
　　　　告了？

林玉婉：可以以通知为主，但也要兼顾劝说。因为我们的
　　　　车是专为中国老百姓设计的，一定要让他们了解
　　　　这种车的特色，了解这种车优于同类产品的地
　　　　方，产生品牌嗜好。

比　尔：关于广告的内容、创意和表现方式，我们希望新
　　　　和美。

林玉婉：啊，你们可以先看看贴在这儿的广告，有成功的，

也有很糟糕的。

玛　丽：夫人的意思是……

林玉婉：现在很时髦的广告，是请名人宣传产品。我不反
　　　　对这种方式。

李　莎：古今中外，崇拜名人名牌，是一种普遍的心理时
　　　　尚。

林玉婉：用年轻漂亮的女士作广告，更是常见的方式。但
　　　　是，你们制作的广告，不是宣传名人，也不是推销
　　　　女人，是宣传我们企业的产品。一定要牢固树立
　　　　起我们公司的品牌形象。

李　莎：如果，看完广告，只记得名人和美人，那就糟糕透
　　　　了。

林玉婉：所以，广告信息的表达方式极为重要，在很大程
　　　　度上决定着广告的效果。

比　尔：我们公司，这次要发动一个强大的广告攻势。所
　　　　以，你们可以利用各种广告媒介。

杨宗师：请问，贵公司有广告预算了吗？

比　尔：我们不惜巨款，你们可以报价。

林玉婉：请你们尽快搞一份广告策划和预算，我们将在你
　　　　们三家中最后选定一家。好，祝你们成功！

Guǎnggào Cèhuà

(Zài gōngsī guǎnggàobù, Lín Yùwǎn zhèngzài
tóng sān jiā guǎnggào gōngsī qiàtán yèwù.)

Miáo Qiūpíng： Línzǒng，hē diǎn shénme ma?

Lín Yùwǎn： Kāfēi. Nǐmen sān jiā dōu shì zhùmíng de guǎnggào gōngsī，wǒ xiǎng xuǎn yì jiā，chángqī wèi wǒmen gōngsī zuò guǎnggào dàilǐ yèwù.

Mǎlì： Wǒ xiǎng wǒmen Měiguó Xīnyǐng Guǎnggào Gōngsī kěyǐ tígōng zuì hǎo de fúwù.

Lín Yùwǎn： Wǒ xiāngxìn. Búguò，xiān qǐng Bǐ'ěr xiānsheng tántan wǒmen de xiǎngfǎ ba.

Bǐ'ěr： Wǒmen gōngsī mǎshàng yào tuīchū yì pī jiātíng jīngjìxíng jiàochē，wǒmen yào tōngguò zhè cì guǎnggào xuānchuán，jīqǐ gùkè de gòumǎiyù，dǎkāi Zhōngguó shìchǎng.

Lín Yùwǎn： Zhè jiùshì shuō，gèwèi shǒuxiān yào míngquè zhè cì guǎnggào de mùbiāo.

Gùjìngrén： Nàme，guì gōngsī yào zuò de shì tōngzhī guǎnggào，ér búshì quànshuō guǎnggào le?

Lín Yùwǎn： Kěyǐ yǐ tōngzhī wéizhǔ，dàn yě yào jiāngù quànshuō. Yīnwèi wǒmen de chē shì zhuān wèi Zhōngguó lǎobǎixìng shèjì de，yídìng yào ràng tāmen liǎojiě zhèzhǒng chē de tèsè，liǎojiě zhèzhǒng chē yōuyú tónglèi chǎnpǐn de dìfāng，chǎnshēng pǐnpái shìhào.

Bǐ'ěr： Guānyú guǎnggào de nèiróng，chuàngyì

hé biǎoxiàn fāngshì, wǒmen xīwàng xīn
hé měi.

Lín Yùwǎn: À, nǐmen kěyǐ xiān kànkàn tiē zài zhèr de
guǎnggào, yǒu chénggōng de, yě yǒu hěn
zāogāo de.

Mǎlì: Fūren de yìshi shì...

Lín Yùwǎn: Xiànzài hěn shímáo de guǎnggào, shì
qǐng míngrén xuānchuán chǎnpǐn. Wǒ bù
fǎnduì zhèzhǒng fāngshì.

Lǐ Shā: Gǔ-jīn Zhōng-wài, chóngbài míngrén
míngpái, shì yì zhǒng pǔbiàn de xīnlǐ
shíshàng.

Lín Yùwǎn: Yòng niánqīng piàoliàng de nǚshì zuò
guǎnggào, gèng shì chángjiàn de
fāngshì. Dànshì, nǐmen zhìzuò de
guǎnggào, búshì xuānchuán míngrén, yě
búshì tuīxiāo nǚrén, shì xuānchuán wǒmen
qǐyè de chǎnpǐn. Yídìng yào láogù shùlì
qǐ wǒmen gōngsī de pǐnpái xíngxiàng.

Lǐ Shā: Rúguǒ, kànwán guǎnggào, zhǐ jìdé míng-
rén hé měirén, nà jiù zāogāo tòu le.

Lín Yùwǎn: Suǒyǐ, guǎnggào xìnxī de biǎodá fāngshì
jíwéi zhòngyào, zài hěn dà chéngdù shàng
juédìng zhe guǎnggào de xiàoguǒ.

Bǐ'ěr: Wǒmen gōngsī, zhècè yào fādòng yí ge
qiángdà de guǎnggào gōngshì. Suǒyǐ,
nǐmen kěyǐ lìyòng gèzhǒng guǎnggào

méijiè.

Yáng Zōngshī: Qǐngwèn, guì gōngsī yǒu guǎnggào yù-
suàn le ma?

Bǐ'ěr: Wǒmen bùxī jùkuǎn, nǐmen kěyǐ bàojià.

Lín Yùwǎn: Qǐng nǐmen jìnkuài gǎo yífèn guǎnggào
cèhuà hé yùsuàn, wǒmen jiāng zài nǐmen
sān jiā zhōng zuìhòu xuǎndìng yì jiā.
Hǎo, zhù nǐmen chénggōng!

Making an Advertising Plan

(In the advertising department, Lin Yuwan is
negotiating business with three advertising
firms.)

Miao Qiuping: General manager Lin, what would you like
for a drink?

Lin Yuwan: Coffee, please. All three of you are leading
advertising firms. I would like to choose
one as our long-term advertising agent.

Mary: I think our American Novel Company can
provide the best service.

Lin Yuwan: I believe that. But first let's ask Bill to tell
you our considerations.

Bill: Our company will market a batch of eco-
nomical household cars immediately. We

would like, through this advertising campaign, to stimulate the customers' wish to buy, so as to open up the Chinese market.

Lin Yuwan: In other words, you must first be clear about the aim of the present advertising campaign.

Gu Jingren: Then, what your company likes is informative advertising rather than persuasive advertising, is that right?

Lin Yuwan: It can be informative in the main, but should also take account of persuasion. As we have designed our cars especially for ordinary Chinese people, we must let them understand the characteristics of this model and know its superiority over other similar cars, so as to generate their liking for the brand.

Bill: As for the content of the ad and the mode to express our ideas, we hope to achieve both beauty and novelty.

Lin Yuwan: You may first have a look at the several ads posted here. Some are good and some very bad.

Mary: Madam, you mean...

Lin Yuwan: Now a fashionable way for advertising is to ask celebrities to publicize the product. I am not opposed to this form.

Li Sha: At all times and in all lands, it is a general psychological fad to worship celebrities and famous brands.

Lin Yuwan: It is an even more frequently used method to use beautiful young ladies for advertising. But the advertisements you make are not to publicize celebrities, nor to push the sale of women. They are to publicize our products, and must firmly establish our company's brand recognition.

Li Sha: It would be very bad if, after looking at the ad, people only remember the celebrities or the beauties.

Lin Yuwan: Therefore, how the advertising information is conveyed is extremely important. To a great extent, it determines the advertising outcome.

Bill: This time our company is going to launch an overpowering advertising campaign, and you can use a variety of advertising media.

Yang Zongshi: Does your firm already have an advertising budget?

Bill: We will spare on expense, and you can make your offers.

Lin Yuwan: Will you please each draw up an advertising plan and budget as soon as possible?

We will choose one from the three of you.

Wish you success!

生　词
New Words

广告	guǎnggào	advertisement
长期	chángqī	long-term
想法	xiǎngfa	idea，opinion
激起	jīqǐ	stimulate
购买（欲）	gòumǎi（yù）	purchase，buy（desire）
通知	tōngzhī	notify，inform
劝说	quànshuō	persuade，advise
兼顾	jiāngù	take account of two or more things
嗜好	shìhào	addiction，hobby
同类	tónglèi	of the same kind
创意	chuàngyì	original idea，conception
表现	biǎoxiàn	express，show，display
糟糕	zāogāo	bad，terrible
普遍	pǔbiàn	common，widespread，general
时尚	shícháng	fashion，fad
牢固	láogù	firm，secure
树立	shùlì	set up，establish
表达	biǎodá	convey，express

预算	yùsuàn	budget
攻势	gōngshì	offensive
媒介	méijiè	media
报价	bàojià	quote a price
不惜	bùxī	not spare
策划	cèhuà	plan，plot
选定	xuǎndìng	decide on，fix

重点句
Key Sentences

1. 你们三家都是著名的广告公司。

   Nǐmen sān jiā dōu shì zhùmíng de guǎnggào gōngsī.

   All three of you are leading advertising firms.

2. 一定要牢固树立起我们公司的品牌形象。

   Yídìng yào láogù shùlì qǐ wǒmen gōngsī de pǐnpái xíngxiàng.

   They must firmly establish our company's brand recognition.

3. 广告信息的表达方式极为重要。

   Guǎnggào xìnxī de biǎodá fāngshì jíwéi zhòngyào.

   How the advertising information is conveyed is extremely important.

4. 这次要发动一个强大的广告攻势。

   Zhè cì yào fādòng yí ge qiángdà de guǎnggào gōngshì.

This time our company is going to launch an overpowering advertising campaign.

5. 你们可以利用各种广告媒介。

Nǐmen kěyǐ lìyòng gè zhǒng guǎnggào méijiè.

You can use a variety of advertising media.

6. 贵公司有广告预算了吗？

Guì gōngsī yǒu guǎnggào yùsuàn le ma?

Does your firm already have an advertising budget?

注　释
Notes

1. **第三个重点句：广告信息的表达方式极为重要。**

"极"，副词，表示叙述主体的程度很高，达到了顶点。它修饰的词，常常作定语。例如，"这是一个极好的想法。" "极"修饰"好"，说明"好"的程度；"极好"是"想法"的定语。"极为"跟"极"的意思和作用基本一样，但它只能修饰双音节形容词，只是在这个重点句中，它修饰的不是定语，而是谓语。又例如，"广告是一种极为重要的竞争手段。"

Key Sentence No. 3： How the advertising information is conveyed is extremely important.

极 is an adverb showing a very high degree of the subject under discussion, which has reached the peak. What it modifies is often the attribute. For instance, in "It is an extremely good idea!", "extremely" modifies "good", indicating the degree of goodness, while "extremely good" is an attribute modifying "idea". 极为 is similar to 极, except that it only modifies disyllabic words. In the above key sentence, it doesn't modify the attribute, but the predicate. Another example: "Advertising is an extremely important means of competition."

2. 相关文化背景知识：

广告，是一种重要的商业宣传和竞争手段，它是随着商业竞争日益剧烈而发展起来的。据史料记载，中国早在宋代，就已出现了真正意义上的广告。以后，中国的商店，除了店名以外，几乎每一个商店都有一副甚至几副对联。例如，一家理发店的对联是"不教白发催人老，更喜春风满面生"。一家酒馆的对联是"酿成春夏秋冬酒，醉倒东南西北人"。这两副对联其实都是广告宣传。作为中国商业文化的一个显著特色，商业对联至今仍被广泛运用。当然，现在广告业在中国的繁荣，并在商业竞争中发挥重要作用，还只是最近几年的事。

Cultural Background：

Advertising is an important means of commercial publicity and competition. It developed as commercial competition became more and more acute. According to historical records, as early as the Song Dynasty, China already had ads in the real sense. Later, shops in China, apart from the name, had one or several antithetical couplets. For instance, an antithetical couplet for a hairdresser was："Do not let grey hair make you old; Pleased that you shine with happiness." One for a pub went like this：

"Brew wine for spring, summer, autumn and winter; make drunk people from east, west, south and north." Both of these two couplets were actually ads. As a characteristic of China's commercial culture, commercial couplets are still being used extensively. Of course, it is only in recent years that modern advertising became prosperous and played an important role in commercial competition.

练　习
Exercises

一、**组词后写拼音** (Complete the following phrases and then give the phonetic notation)：

设计＿＿＿　崇拜＿＿＿　＿＿＿糟糕　＿＿＿策划

推销＿＿＿　　＿＿＿预算　　＿＿＿宣传　时髦＿＿＿

二、**选择正确的词语填空** (Choose the right word to fill in each of the following blanks)：

1. 你们三家都是＿＿＿的广告公司。（闻名、著名）

2. 你们可以＿＿＿各种广告媒介。（使用、利用）

3. 古今中外,崇拜名人名牌,是一种＿＿＿的心理时尚。（普通、普遍）

4. 一定要牢固＿＿＿起我们公司的品牌形象。（建立、树立）

5. 我们将在你们三家中最后＿＿＿一家。（选中、选定）

三、**听录音,回答问题** (Listen to the recording and then answer the following questions):

1. 林玉婉想通过广告公司做什么?

2. 比尔对广告内容和创意的表现方式有什么要求?

3. 林玉婉对广告公司制作的广告有什么要求?

4. 为什么广告信息的表达方式极为重要?

四、**把下面的词组成句子** (Unscramble the following into normal sentences):

1. 我们 要 树立起 公司 牢固 形象 的 一定

2. 攻势 发动 的 强大 将 广告 我们 用 宣传

3. 媒介 利用 可以 各种 你们 广告

4. 很 方式 重要 信息 广告 的 表达

5. 预算 了 公司 有 广告 吗 贵

五、**根据课文回答问题** (Answer the following questions according to the text):

1. 你喜欢看广告吗？什么样的广告你认为是好广告？请谈谈你印象深的好广告和坏广告。

2. 你认为请名人宣传产品、用年轻漂亮的女人作广告是一种好办法吗？请举出一、二实例说说你的具体看法。

3. 你参加过广告创意制作和推广吗？请谈谈你的经历。

第二十一课　营销渠道

（某汽车展销厅，林玉婉等人一边参观，一边与
展销厅经理洽谈业务。）

田秀芳：夫人，你好！

林玉婉：吴夫人，是你呀！

田秀芳：公司派我来主持这个展销厅的工作。什么风把你
　　　　给吹来了？

林玉婉：我们的产品就要投放市场了，我们需要建立分销
　　　　渠道。

田秀芳：老吴怎么没同你一起来呀？

林玉婉：厂里的任务很紧，老吴他离不开。

李　莎：田经理，我们可以参观一下吗？

田秀芳：请随意吧！

一小姐：经理，您的电话。

田秀芳：对不起。喂，……她在这儿……夫人，老吴要跟你
　　　　说话。

林玉婉：好。喂，……这个展销厅地点不错，大厅里陈列的
　　　　车也很多……好的。除了自营进口汽车外，你们
　　　　是不是也作代理业务？

田秀芳：作。我们同美国、德国、法国、韩国的汽车公司，都
　　　　有分销和代理业务。

林玉婉：你们的获利能力和收现能力怎么样？

田秀芳：合作伙伴都很满意。

林玉婉：你能作我们公司的代理商吗？

田秀芳：这合适吗？老吴在你们那儿！

林玉婉：啊，这是两回事。我们决定采用选择性分销模式，要在各大城市精选代理商，建立分销网点。

田秀芳：为的是开拓市场，扩大销路，对吗？

林玉婉：对，我知道贵公司经营历史长，信誉好，有一批素质很高、懂技术的业务员。所以，我们对你们的营销能力充满信心。

田秀芳：那么，我们彼此的权利与义务呢？

林玉婉：这个问题，我们好商量。

Yíngxiāo Qúdào

(Mǒu qìchē zhǎnxiāotīng, Lín Yùwǎn děng rén yìbiān cānguān, yìbiān yǔ zhǎnxiāotīng jīnglǐ qiàtán yèwù.)

Tián Xiùfāng：Fūren, nǐ hǎo!

Lín Yùwǎn：　Wú fūren, shì nǐ ya!

Tián Xiùfāng：Gōngsī pài wǒ lái zhǔchí zhège zhǎnxiāotīng de gōngzuò. Shénme fēng bǎ nǐ gěi chuī lái le?

Lín Yùwǎn：　Wǒmen de chǎnpǐn jiùyào tóufàng shìchǎng le, wǒmen xūyào jiànlì fēnxiāo qúdào.

Tián Xiùfāng：Lǎo Wú zěnme méi tóng nǐ yìqǐ lái ya?

Lín Yùwǎn： Chǎng lǐ de rènwù hěn jǐn, Lǎo Wú tā líbukāi.

Lǐ Shā： Tián jīnglǐ, wǒmen kěyǐ cānguān yíxià ma?

Tián Xiùfāng：Qǐng suíyì ba！

Yī xiǎojie： Jīnglǐ, nín de diànhuà.

Tián Xiùfāng：Duìbuqǐ. Wèi ... Tā zài zhèr ... Fūren, Lǎo Wú yào gēn nǐ shuōhuà.

Lín Yùwǎn： Hǎo. Wèi, ... Zhè ge zhǎnxiāotīng dìdiǎn búcuò, dàtīng lǐ chénliè de chē yě hěn duō... Hǎo de. Chúle zìyíng jìnkǒu qìchē wài, nǐmen shìbushì yě zuò dàilǐ yèwù?

Tián Xiùfāng：Zuò. Wǒmen tóng Měiguó, Déguó, Fǎguó, Hánguóde qìchē gōngsī, dōu yǒu fēnxiāo hé dàilǐ yèwù.

Lín Yùwǎn： Nǐmen de huòlì nénglì hé shōuxiàn nénglì zěnmeyàng?

Tián Xiùfāng：Hézuò huǒbàn dōu hěn mǎnyì.

Lín Yùwǎn： Nǐ néng zuò wǒmen gōngsī de dàilǐshāng ma?

Tián Xiùfāng：Zhè héshì ma? Lǎo Wú zài nǐmen nàr！

Lín Yùwǎn： À, zhèshì liǎnghuíshì. Wǒmen juédìng cǎiyòng xuǎnzéxìng fēnxiāo móshì, yào zài gè dà chéngshì jīngxuǎn dàilǐshāng, jiànlì fēnxiāo wǎngdiǎn.

Tián Xiùfāng：Wèi de shì kāituò shìchǎng, kuòdà xiāolù, duì ma?

Lín Yùwǎn： Duì, wǒ zhīdao guì gōngsī jīngyíng lìshǐ

cháng, xìnyù hǎo, yǒu yì pī sùzhì hěn
gāo, dǒng jìshù de yèwùyuán. Suǒyǐ,
wǒmen duì nǐmen de yíngxiāo nénglì
chōngmǎn xìnxīn.

Tián Xiùfāng: Nàme, wǒmen bǐcǐ de quánlì yǔ yìwù ne?

Lín Yùwǎn: Zhè ge wèntí, wǒmen hǎo shāngliang.

Marketing Channels

(While visiting an anto exhibition hall, Lin
Yuwan and her party are talking business with
the manager.)

Tian Xiufang: How are you, madam?

Lin Yuwan: Oh, it's you, Mrs Wu.

Tian Xiufang: Our company has sent me to take charge
of this exhibition hall. What brings you
here?

Lin Yuwan: We'll soon market our products, and we
need to establish our distribution net-
work.

Tian Xiufang: Why hasn't Lao Wu come with you?

Lin Yuwan: There are some urgent tasks in the facto-
ry, and Lao Wu is unable to leave.

Li Sha: May we have a look round?

Tian Xiufang: As you please.

A Young Lady: Manager, there's a call for you.

Tian Xiufang: Excuse me ... Er, she's here. Madam, Lao Wu would like to speak to you.

Lin Yuwan: Thank you. Hello, this exhibition hall is well located, and there are many cars on display... Fine. Apart from running your own business in imported cars, do you do agency business as well?

Tian Xiufang: Yes. We do distribution and agency business with auto companies of the United States, Germany, France and Korea.

Lin Yuwan: How is your firm's profitability and liquidity?

Tian Xiufang: Our partners are all satisfied.

Lin Yuwan: Can you be the agent of our company?

Tian Xiufang: Is it suitable? Lao Wu is in your company.

Lin Yuwan: These are two different things. We have decided to adopt the selective mode of distribution, and we need to select our agents carefully so as to establish our distribution network.

Tian Xiufang: And the purpose is to open up the market and to expand sales, is that right?

Lin Yuwan: That's right. I know that your company has a long history and good reputation, with a large number of good quality staff

who also understand the technology. So
we are fully confident of your marketing
ability.

Tian Xiufang： Then，what about the rights and obliga-
tions of both parties?

Lin Yuwan： That can be settled through discussion.

生　词
New Words

派	pài	send，assign
主持	zhǔchí	take charge of，manage
分销	fēnxiāo	distribution
渠道	qúdào	channel
任务	rènwu	task
紧	jǐn	urgent
随意	suíyì	at will，as one pleases
地点	dìdiǎn	place，site
陈列	chénliè	display，exhibit
自营	zìyíng	run one's own business
代理	dàilǐ	agency，agent
业务	yèwù	business
获利	huòlì	make a profit，reap profits
收现	shōuxiàn	collect cash
能力	nénglì	ability，capability

精选	jīngxuǎn	choose carefully
扩大	kuòdà	expand
销路	xiāolù	sale, market
历史	lìshǐ	history
信誉	xìnyù	reputation
充满	chōngmǎn	full of
信心	xìnxīn	confidence
权利	quánlì	right
义务	yìwù	obligation, duty

重点句
Key Sentences

1. 什么风把你给吹来了？

   Shénme fēng bǎ nǐ gěi chuī lái le?

   What brings you here?

2. 我们需要建立分销渠道。

   Wǒmen xūyào jiànlì fēnxiāo qúdào.

   We need to establish our distribution network.

3. 你们是不是也作代理业务？

   Nǐmen shìbushì yě zuò dàilǐ yèwù?

   Do you do agency business as well?

4. 你们的获利能力和收现能力怎么样？

   Nǐmen de huòlì nénglì hé shōuxiàn nénglì zěnmeyàng?

   How is your firm's profitability and liquidity?

5. 我们决定采用选择性分销模式。

Wǒmen juédìng cǎiyòng xuǎnzéxìng fēnxiāo móshì.

We have decided to adopt the selective mode of distri-
bution.

6. 我们对你们的营销能力充满信心。

Wǒmen duì nǐmen de yíngxiāo nénglì chōngmǎn
xìnxīn.

We are fully confident of your marketing ability.

注　释
Notes

1. 第一个重点句：什么风把你给吹来了？

　　这个句子的意思是，是什么原因让你来这儿了。这句
话常常用在熟人或老朋友之间，很久不见面了，当他突然
出现在你的面前时，你感到很意外，就可以这么问他，一
面表示为他的突然来访而高兴，其中又含有不满他久不
来访的意思。对方可能会风趣地回答："是一阵春风把我
吹来的。"在中国人心目中，春风温暖柔和，这么回答，意
思是因为有了高兴的事。当然，对方也可能直率地表示歉
意，或者解释原因。

Key Sentence No. 1:　What brings you here? (or: What
wind has blown you here?)

　　This sentence asks what the reason is for your being
here. It is often used between old acquaintances or
friends. When an old friend of yours suddenly appears be-
fore you long after your last meeting and you feel sur-

prised, you may use this question, expressing your pleasure in his unexpected visit on the one hand, and a slight dissatisfaction with his long absence on the other. He may give you a humourous reply: "It is a spring breeze that has blown me here." To the Chinese, the spring breeze is soft and warm, and his answer implies that it is because of something cheerful. Of course he can also express his apology straightforwardly or give you an explanation.

2. 相关文化背景知识：

田秀芳是吴国栋的夫人，而吴国栋与林玉婉是老同学、新搭档。三个人的关系比较特殊。田秀芳从中国传统观念出发，不愿介入丈夫的事务和人际关系，以免引起外界一些不必要的误解与麻烦，比如，田秀芳成了兴华公司的代理，也许有人就会说，这是她的丈夫给了她赚钱的机会，"肥水不落外人田嘛"，等等。所以，田秀芳在同林玉婉的谈话中，表示了明显的回避态度。林玉婉则完全无所顾忌。她以为，她们三人的关系，纯属私人的事，与业务上的合作，完全是两码事，大可不必顾忌外界的舆论。这表现出美国人的性格特征。从田秀芳与林玉婉的谈话中，我们看到了东西方文化的不同与交流，这是在国际商务活动中，值得注意的现象。如果，不照顾到双方不同的国情和处理人际关系的不同方法，商务活动就会处于被动，甚至失败。

Cultural Background:

Tian Xiufang is Wu Guodong's wife, and Wu Guodong and Lin Yuwan were old classmates and new partners. The three have a special relationship. Considering traditional Chinese customs, Tian Xiufang does not like to get involved in her husband's business so as to avoid unnecessary misunderstanding and troubles. For instance, if Tian Xiufang becomes the agent for Xinghua Company, some people may say that it was her husband who gave her the opportunity, as the saying goes, "Don't let the fertile water flow to other people's land." So Tian Xiufang hesitated to give Lin Yuwan a promise. But Lin Yuwan does not have any misgivings. She thinks personal relationship and business corporation are two different matters and there is no need to worry about gossip. This is typical of Americans' disposition. The different approaches of Eastern and Western cultures as shown here should be noted in international business affairs. Inadequate consideration of approaches to cultural differences and personal relationships will lead to setbacks or even failure in business and trade.

练　习
Exercises

一、**组词后写拼音** (Complete the following phrases and then give the phonetic notation):

主持＿＿＿　＿＿＿能力　＿＿＿模式　陈列＿＿＿
＿＿＿渠道　＿＿＿信誉　＿＿＿渠道　代理＿＿＿

二、**选择正确的意思**（Choose the correct interpretation）：

1. "什么风把你给吹来了。"这句话的意思是：

① 风把你给吹来了，为什么？

② 把你给吹来了，是什么风？

③ 没想到风把你吹来了！

④ 你来了，一定是有什么令人高兴的原因吧！

2. "请随意吧！"这话的意思是：

① 请吧，不要拘束，随随便便好了！

② 请吧，随你方便好了！

③ 请随你的意思做吧！

④ 你想干什么就干什么吧！

3. "这个问题，我们好商量。"这话的意思是：

① 我们可以好好商量这个问题。

② 这个问题我们再商量，好吗？

③ 这个问题我们商量好了。

④ 这个问题我们之间很容易商量解决。

三、**听录音，回答问题**（Listen to the recording and then answer the following questions）：

1. 田秀芳问林玉婉："什么风把你给吹来了？"林玉婉怎么回答？

2. 林玉婉在电话里对吴国栋说了些什么？

3. 田秀芳说她们为一些国家作分销代理业务。是哪些国家？

4. 林玉婉为什么选中田秀芳的公司做代理商？

四、把下面的词组成句子 (Unscramble the following into normal sentences)：

1. 我们　充满　对　信心　能力　你们　营销　的

2. 怎么样　的　能力　获利　你们

3. 选择性　决定　我们　采用　分销　模式

4. 建立　需要　渠道　分销　我们

5. 你们　代理　作　业务　不作

五、回答问题 (Answer the following questions)：

1. 选择代理商有什么要求？

2. 代理商在经营过程中起什么作用？

3. 林玉婉让她的老同学吴国栋做合资公司的中方总经理,又让吴国栋妻子(田秀芳)所在公司做代理商,好吗？请谈谈你的用人原则。

第二十二课　售后服务

（在某汽车维修站，职工们正在繁忙地工作着。）

林玉婉：赵先生，他们都是我们的新职工，以后做售后服
　　　　务工作，今天带他们来见习。

赵雨生：欢迎！欢迎！这是我们公司在本市的第一家维修
　　　　服务站。公司要求很严，你们开始可能不太习惯。

众青年：没关系，我们会努力学习的。

林玉婉：要做好售后服务，首先要高度重视。大家要记住，
　　　　售后服务开展得好坏，直接影响到公司的形象和
　　　　声誉。

赵雨生：林总说得很对。（电话铃响。）喂，这是兴华公司维
　　　　修站。

一男人：我把车钥匙丢了，车没法开了！

赵雨生：请别着急。你住哪儿？亚运村 X 栋 110 号。你放
　　　　心吧，就到！小王，你马上出车，25 分钟内赶到。

小　王：好嘞！

林玉婉：你们看到了，顾客随时都可能需要我们的服务。
　　　　对顾客提供的服务是否及时、热情、礼貌，都是
　　　　衡量我们服务水平高低的标准。赵先生做得就
　　　　很好！

青　年：收费吗？

赵雨生：维修服务收入在公司营业额中占很大比重。但如

何收费,有严格规定。

林玉婉:在保修期内,是免费维修;超过保修期,要合理收费,就是不能乱收费。

(电话铃响。)

赵雨生:我可以为你效劳吗?嗯……嗯……好!请你先别急,我们马上就到。喂,大山吗?你在哪儿?嗯,往西离你两公里处,有一辆车抛锚了。对,马上去抢修。

青　年:谁的车?

赵雨生:是位小姐,她买的不是我们的车,可知道我们公司的电话,要求我们去抢修。

青　年:这种事也要管?

赵雨生:当然要管,这说明我们名声在外嘛!

林玉婉:说得很对!顾客找我们,说明顾客需要和信任我们。所以,开展优质服务是增强竞争力的重要手段,你们一定要做得很出色。

众青年:我们会的!

Shòuhòu Fúwù

(Zài mǒu qìchē wéixiū zhàn, zhígōngmen zhèngzài fánmáng de gōngzuò zhe.)

Lín Yùwǎn:　　Zhào xiānsheng, tāmen dōu shì wǒmen de xīn zhígōng, yǐhòu zuò shòuhòu fúwù gōngzuò, jīntiān dài tāmen lái jiànxí.

Zhào Yǔshēng： Huānyíng! Huānyíng! Zhè shì wǒmen gōngsī zài běnshì de dì yī jiā wéixiū fúwù zhàn. Gōngsī yāoqiú hěn yán, nǐmen kāishǐ kěnéng bú tài xíguàn.

Zhòng qīngnián： Méiguānxi, wǒmen huì nǔlì xuéxí de.

Lín Yùwǎn： Yào zuò hǎo shòuhòu fúwù, shǒuxiān yào gāodù zhòngshì. Dàjiā yào jìzhù, shuòhòu fúwù kāizhǎn de hǎo huài, zhíjiē yǐngxiǎng dào gōngsī de xíngxiàng hé shēngyù.

Zhào Yǔshēng： Lín zǒng shuō de hěn duì. (Diànhuà líng xiǎng.) Wèi, Zhè shì Xīnghuá Gōngsī wéixiūzhàn.

Yī nánrén： Wǒ bǎ chē yàoshi diū le, chē méifǎ kāi le!

Zhào Yǔshēng： Qǐng bié zháojí. Nǐ zhù nǎr? Yàyùncūn X dòng yāoyāolíng hào. Nǐ fàngxīn ba, jiùdào! Xiǎo Wáng, nǐ mǎshàng chūchē, èrshíwǔ fēnzhōng nèi gǎndào.

Xiǎo Wáng： Hǎo lei!

Lín Yùwǎn： Nǐmen kàndao le, gùkè suíshí dōu kěnéng xūyào wǒmen de fúwù. Duì gùkè tígōng de fúwù shìfǒu jíshí, rèqíng, lǐmào, dōu shì héngliáng wǒmen fúwù shuǐpíng gāodī de biāozhǔn. Zhào xiānsheng zuò de jiù hěn hǎo!

Qīngnián： Shōufèi ma?

Zhào Yǔshēng： Wéixiū fúwù shōurù zài gōngsī yíngyè'ér zhōng zhàn hěn dà bǐzhòng. Dàn rúhé shōufèi, yǒu yán'gé guīdìng.

Lín Yùwǎn： Zài bǎoxiūqī nèi, shì miǎnfèi wéixiū; chāoguò bǎoxiūqī, yào hélǐ shōufèi, jiùshì bùnéng luàn shōufèi.

（Diànhuà líng xiǎng. ）

Zhào Yǔshēng： Wǒ kěyǐ wèi nǐ xiàoláo ma? Ēn... ēn... hǎo! Qǐng nǐ xiān biéjí, wǒmen mǎshàng jiù dào. Wèi! Dàshān ma? Nǐ zài nǎr? Ēn, ... wǎng xī lí nǐ liǎng gōnglǐ chù, yǒu yīliàng chē pāomáo le. Duì, mǎshàng qù qiǎngxiū.

Qīngnián： Shuí de chē?

Zhào Yǔshēng： Shì wèi xiǎojie, tā mǎi de bú shì wǒmen de chē, kě zhīdao wǒmen gōngsī de diànhuà, yāoqiú wǒmen qù qiǎngxiū.

Qīngnián： Zhèzhǒng shì yě yào guǎn?

Zhào Yǔshēng： Dāngrán yào guǎn, zhè shuōmíng wǒmen míngshēng zài wài ma!

Lín Yùwǎn： Shuō de hěn duì! Gùkè zhǎo wǒmen, shuōmíng gùkè xūyào hé xìnrèn wǒmen. Suǒyǐ, kāizhǎn yōuzhì fúwù shì zēngqiáng jìngzhēnglì de zhòngyào shǒuduàn, nǐmen yídìng yào zuǒ de hěn chūsè.

Zhòng qīngnián： Wǒmen huì de!

After-Sale Service

(Staff and workers are busy working at an auto maintenance shop.)

Lin Yuwan: Mr Zhao, they are our new staff members who are going to take care of after-sale service. Today I have taken them here to learn.

Zhao Yusheng: Welcome, welcome. This is our company's first maintenance shop in this city. The company has very strict demands, and you may not be used to them at first.

Young People: That's all right. We'll work hard to learn.

Lin Yuwan: If we are to provide good after-sale service, we must first make it a priority. We must remember that how well we provide after-sale service will affect directly the image and reputation of the company.

Zhao Yusheng: What General Manager Lin said is absolutely correct... Hello, this is Xinghua Company's maintenance shop.

A Customer: I have lost the key to my car, and I can't get the door open.

Zhao Yusheng: No worry. Where do you live? No. 110 of Building X at the Asian Games Village. Rest assured that we'll be there immediately. Xiao Wang, you go with the car at once, and be sure to get there within 25 minutes.

Xiao Wang: O. K.

Lin Yuwan: You have seen that customers may need our service at any time. Whether we can provide them with timely, warm and polite services gives the measure of our service level. Mr Zhao did well.

Young Man: Do you charge for the service?

Zhao Yusheng: The revenue from maintenance represents a large share in the company's turnover. But we have strict regulations on the collection of fees.

Lin Yuwan: Within the guarantee period, we provide maintenance free of charge. After the guarantee period, we charge a reasonable fee, but we can't charge arbitrarily.

Zhao Yusheng: Can I help you? Er... er... O. K. Please don't worry, we'll be there immediately. Dashan, where are you now? Er... Please go west, two kilometers from

	where you are, a car has broken down. Right, go to repair it at once.
Young Man:	Whose car?
Zhao Yusheng:	It's a young lady. What she bought was not our car, but she knew our phone number, and she asked us to do rush repairs.
Young Man:	You care even for matters like this?
Zhao Yusheng:	Of course we do. It shows that our reputation has spread far and wide.
Lin Yuwan:	Well said. The fact that customers look for us indicates that they need us and trust us. Therefore, providing high-quality service is an important way to improve our competitiveness. You must do it well.
Young Man:	Yes, we will.

生　词
New Words

见习	jiànxí	learn on the job
开始	kāishǐ	begin, start
高度	gāodù	a high degree
开展	kāizhǎn	launch, unfold
声誉	shēngyù	reputation

钥匙	yàoshi	key
丢	diū	lose
着急	zháojí	get worried, feel anxious
记录	jìlù	record
赶到	gǎn dào	rush to a place
随时	suíshí	at any time
礼貌	lǐmào	polite, courteous
衡量	héngliang	measure, weigh
比重	bǐzhòng	proportion
保修（期）	bǎoxiū(qī)	guarantee (period)
免费	miǎnfèi	free of charge
乱	luàn	in disorder, arbitrary
抛锚	pāomáo	break down, drop anchor
抢修	qiǎngxiū	do rush repairs
管	guǎn	care about, bother about
名声在外	míngshēng zàiwài	reputation has spread far and wide
信任	xìnrèn	trust
优质	yōuzhì	high quality
增强	zēngqiáng	strengthen, enhance
出色	chūsè	outstanding, splendid

重点句
Key Sentences

1. 这是我们公司在本市的第一家维修服务站。

   Zhè shì wǒmen gōngsī zài běnshì de dì yī jiā wéixiū fúwùzhàn.

   This is our company's first maintenance shop in this city.

2. 要做好售后服务，首先要高度重视。

   Yào zuò hǎo shòuhòu fúwù, shǒuxiān yào gāodù zhòngshì.

   If we are to provide good after-sale service, we must first make it a priority.

3. 顾客随时都可能需要我们的服务。

   Gùkè suíshí dōu kěnéng xūyào wǒmen de fúwù.

   Customers may need our service at any time.

4. 维修服务收入在公司营业额中占很大比重。

   Wéixiū fúwù shōurù zài gōngsī de yíngyè'é zhōng zhàn hěn dà bǐzhòng.

   The revenue from maintenance represents a large share in the company's turnover.

5. 我可以为你效劳吗？

   Wǒ kěyǐ wèi nǐ xiàoláo ma?

   Can I help you?

6. 开展优质服务是增强竞争力的重要手段。

   Kāizhǎn yōuzhì fúwù shì zēngqiáng jìngzhēnglì de

zhòngyào shǒuduàn.

Providing high-quality service is an important way to improve our competitiveness.

注　释
Notes

1. 第五个重点句：我可以为你效劳吗？

　　这是一句日常生活中常用的敬语。这句话与"我可以为你出点力、做点什么事吗"，意思完全一样，但感情色彩很不相同。"效"，是呈献、献出的意思。在中国古代，为上司、长者到至交做事，常自喻为"愿效犬马之劳"，表示将极其恭顺地竭尽忠诚和全力去做某事。同样，我们生活中也常说"我愿为你效劳"。不过请注意，这个句子只能用于向对方表示尊敬的场合，一般不能用于上级对下级、长者对年轻人。

Key Sentence No. 5：Can I help you? (or：Can I render you some service?)

　　This is a polite expression frequently used in daily life. It means "Can I do something for you?" but with different emotional colouring. 效 means "devote", or "render". In ancient China, when doing something for one's superior, elder, or best friend, one often referred to it as "I would serve like a dog or a horse", meaning that he would, most respectfully and devotedly, exert himself to do it. In our daily life, we also often say："I will render

what trifling service I can. " But please note that this is
only used when you are showing respect to the other par-
ty; normally it is not used by a superior to his inferior,
nor the elder to the younger.

2. 相关文化背景知识:

售后维修服务业,在中国还是一个新兴行业。不论是
行业意识还是设施、条件,都还很落后。许多行业还没有
售后维修服务;有售后维修服务的行业,维修服务网点
少,质量差,乱收费,服务态度不好,以及没有完善的法规
保护消费者利益。这些都严重制约了企业的发展和经济
效益的提高。因此,发展售后维修服务业,不仅具有重要
意义,而且有极其广阔、美好的前景。

Cultural Background:

After-sale service is a newly emerging industry in
China. It is still backward with regard to professional
awareness, facilities and other conditions. Many indus-
tries do not provide after-sale service. Those that do still
have such problems as lacking enough service shops to
form a network, poor quality, charging arbitrarily, and
bad attitude in attending to customers. Also, there are
not adequate laws and regulations to protect the interests
of the customers. All this has affected the development of
the enterprises and their economic benefit. Therefore, the
development of after-sale service is not only of great sig-
nificance, but also has broad and bright prospects.

练　习
Exercises

一、**组词后写出拼音** (Complete the following phrases and then give the phonetic notation)：

维修＿＿＿＿　免费＿＿＿＿　＿＿＿＿出色　衡量＿＿＿＿

开展＿＿＿＿　＿＿＿＿重视　＿＿＿＿收费　增强＿＿＿＿

二、**选择正确的词语填空** (Choose the right word to fill in each of the following blanks)：

1. 维修服务收入在公司营业额中占很大的＿＿＿＿。（比例、比重）

2. 我可以为你＿＿＿＿吗？（效劳、效力）

3. 对顾客提供的服务是否及时、热情、礼貌，都是＿＿＿＿我们服务水平高低的标准。（测量、衡量）

4. 开展优质服务是＿＿＿＿竞争力的重要手段。（增强、加强）

三、**听录音，回答问题** (Listen to the recording and then answer the following questions)：

1. 赵雨生第一次接电话，在电话里听到了什么？以后，他对小王说了什么？

2. 听林玉婉说的话，维修站应该收怎样维修服务费？

3. 赵雨生第二次接电话，在电话里听到了什么？

4. 林玉婉对维修站的工作满意吗？她怎么说？

四、把下面的词组成句子 (Unscramble the following into normal sentences)：

1. 手段　优质　竞争力　的　服务　增强　重要　是　开展

2. 服务　随时　顾客　我们　需要　可能　都　的

3. 吗　为　效劳　你　可以　我

4. 重视　服务　做好　要　售后　高度

5. 公司　维修　的　服务　本市　在　是　一家　站　这

五、回答问题 (Answer the following questions)：

1. 你认为对顾客提供优质服务应该包括哪些方面？

2. 你认为开展优质服务是增强竞争力的重要手段吗？除此外，增强竞争力还靠什么？

3. 你了解贵国的公司在中国的售后服务工作吗？有什么印象和看法？

第二十三课　工业设计

（在某大学，正在举行新闻发布会。）

司马文博：女士们，先生们！我们燕京理工大学和兴华汽
　　　　　车有限公司，决定在我们大学创建一所汽车工业
　　　　　设计院，今天举行正式签字仪式。

林玉婉：我们公司决定，每年拿出 100 万元人民币支持燕
　　　　大的发展。今天，我们在这里郑重宣布此事。

司马文博：现在，欢迎各位朋友提问。

记者甲：请问司马先生，你们创建工业设计院的目的是什
　　　　么？是要为兴华公司设计汽车吗？

司马文博：啊，这位小姐误会了。现代工业设计是一门新
　　　　　兴科学，简单地说，它包括经营理念，行为规范和
　　　　　视觉识别。

记者乙：请问，什么叫视觉识别？

司马文博：就是企业的名称使用的标准字、标准色、标志
　　　　　和图案等，都要精心设计，形成视觉上的独特性
　　　　　和统一性。

比　尔：就像麦当劳的大"M"或者肯德基的老头像。

记者丙：你们有能力承担这样的任务吗？

林玉婉：为了回答你的提问，我想先说一个商业笑话。据
　　　　说，在日本东京街头，捡块石头闭着眼扔出去，多
　　　　半会砸在一位工业设计师的头上。

记者丙：那你为什么不把钱给日本人？

林玉婉：我们的目标市场在中国，了解中国人的心理、爱
　　　　好、习惯和要求的是中国人自己。这就是燕大的
　　　　优势。

司马文博：谢谢！

记者甲：林女士，贵公司每年给燕大的 100 万元资助，是
　　　　无偿的吗？

林玉婉：可以说是无偿的，因为我们不要求偿还。

记者甲：听你的意思，燕大好像承担了某种义务。

林玉婉：是的，燕大将为本公司承担工业设计的任务。当
　　　　然，每一项研究成果都将得到我们公司的酬金。

记者乙：目前，有具体研究计划了吗？

林玉婉：啊，对不起，这保密！ 不过，还有一个消息可以告
　　　　诉大家，我们公司还要无偿赠送燕大 20 台 IBM
　　　　计算机。

司马文博：谢谢！

Gōngyè Shèjì

(Zài mǒu dàxué, zhèngzài jǔxíng xīnwén fābù-
huì.)

Sīmǎ Wénbó： Nǔshìmen, Xiānshengmen！ Wǒmen Yān-
　　　　　　jīng Lǐgōng Dàxué hé Xīnghuá Qìchē
　　　　　　Yǒuxiàn Gōngsī, juédìng zài wǒmen
　　　　　　dàxué chuàngjiàn yì suǒ qìchē gōngyè

shèjìyuàn, jīntiān jǔxíng zhèngshì qiānzì
yíshì.

Lín Yùwǎn: Wǒmen gōngsī juédìng, měi nián náchū
yìbǎi wàn yuán Rénmínbì zhīchí Yāndà
de fāzhǎn. Jīntian, wǒmen zài zhèlǐ
zhèngzhòng xuānbù cǐ shì.

Sīmǎ Wénbó: Xiànzài, huānyíng gèwèi péngyou tíwèn.

Jìzhě jiǎ: Qǐngwèn Sīmǎ xiānsheng, nǐmen chuàng-
jiàn gōngyè shèjìyuàn de mùdì shì
shénme? Shì yào wèi Xīnghuá Gōngsī
shèjì qìchē ma?

Sīmǎ Wénbó: À, zhèwèi xiǎojie wùhuì le. Xiàndài gōng-
yè shèjì shì yìmén xīnxīng kēxué, jiǎndān
de shuō, tā bāokuò jīngyíng lǐniàn,
xíngwéi guīfàn hé shìjué shíbié.

Jìzhě yǐ: Qǐngwèn, shénme jiào shìjué shíbié?

Sīmǎ Wénbó: Jiùshì qǐyè de míngchēng shǐyòng de
biāozhǔn zì, biāozhǔn sè, biāozhì hé tú'àn
děng, dōu yào jīngxīn shèjì, xíngchéng
shìjué shàng de dútèxìng hé tǒngyīxìng.

Bǐ'ěr: Jiù xiàng Màidāngláo de dà M huòzhě
Kěndéjī de lǎotóu xiàng.

Jìzhě bǐng: Nǐmen yǒu nénglì chéngdān zhèyàng de
rènwù ma?

Lín Yùwǎn: Wèi le huídá nǐ de tíwèn, wǒ xiǎng xiān
shuō yí ge shāngyè xiàohua. Jùshuō, zài
Rìběn Dōngjīng jiētóu, jiǎn kuài shítou

bìzhe yǎn rēng chūqù, duōbàn huì zá zài
yí wèi gōngyè shèjìshī de tóu shàng.

Jìzhě bǐng: Nà nǐ wèishénme bù bǎ qián gěi Rìběn
rén?

Lín Yùwǎn: Wǒmen de mùbiāo shìchǎng zài Zhōng-
guó, liǎojiě Zhōngguórén de xīnlǐ, àihào,
xíguàn hé yāoqiú de shì Zhōngguórén zìjǐ.
Zhè jiùshì Yāndà de yōushì.

Sīmǎ Wénbó: Xièxie!

Jìzhě jiǎ: Lín nǚshì, guì gōngsī měi nián gěi Yāndà
de yìbǎi wàn yuán zīzhù, shì wúcháng de
ma?

Lín Yùwǎn: Kěyǐ shuō shì wúcháng de, yīnwèi wǒmen
bù yāoqiú chánghuán.

Jìzhě jiǎ: Tīng nǐ de yìsi, Yāndà hǎoxiàng chéngdān
le mǒuzhǒng yìwù.

Lín Yùwǎn: Shì de. Yāndà jiāng wèi běn gōngsī
chéngdān gōngyè shèjì de rènwù.
Dāngrán, měi yí xiàng yánjiū chéngguǒ
dōu jiāng dédào wǒmen gōngsī de
chóujīn.

Jìzhě yǐ: Mùqián, yǒu jùtǐ yánjiū jìhuà le ma?

Lín Yùwǎn: À, duìbuqǐ, zhè bǎomì! Búguò, háiyǒu yí
ge xiāoxi kěyǐ gàosu dàjiā, wǒmen gōngsī
hái yào wúcháng zèngsòng Yāndà èrshí tái
IBM jìsuànjī.

Sīmǎ Wénbó: Xièxie!

Industrial Design

(A press conference is going on in a university.)

Sima Wenbo: Ladies and gentlemen, Yanjing Polytechnic University and Xinghua Automobile Corporation Ltd. have decided to set up an institute for industrial design. Today is the formal signing ceremony.

Lin Yuwan: Our company has decided to give a million yuan a year to support the development of Yanjing Polytechnic University. Today I have the pleasure of officially announcing this decision.

Sima Wenbo: Now you are invited to ask questions.

Reporter A: Mr Sima, what is the purpose of your setting up an institute for industrial design? Is it to design cars for Xinghua Corporation?

Sima Wenbo: I'm afraid this young lady is mistaken. Modern industrial design is a newly-developed science. To put it simply, it includes management ideas, behavior standards, and distinctive visual identity.

Reporter B: Excuse me, but what is distinctive visual

	identity?
Sima Wenbo:	That means the name, the standard characters and colors, as well as the symbols and patterns used by the enterprise need to be carefully designed so as to attain visual unity and uniqueness.
Bill:	Just like the letter M for McDonald's or the statue of the old man for Kentucky Fried Chicken.
Reporter C:	Do you have the ability to undertake such a task?
Lin Yuwan:	To answer your question, I would like to tell a commercial joke first. In a street in Tokyo, Japan, if you throw a stone blindly, more often than not, it will hit an industrial designer.
Reporter C:	Then why don't you give the money to the Japanese?
Lin Yuwan:	Our target market is China. It is the Chinese themselves who know the psychology, customs, likings and demands of the Chinese people. That's the superiority of Yanjing Polytechnic University.
Sima Wenbo:	Thank you.
Reporter A:	Ms Lin, is the one million yuan you give Yanjing Polytechnic University gratis?
Lin Yuwan:	It can be called gratis, because we do not

ask for repayment.

Reporter A: It sounds as if Yanjing Polytechnic University is committed to some sort of obligation.

Lin Yuwan: Yes, Yanjing Polytechnic University will undertake the task of industrial design for our company. But of course, they will receive payment from our company for each research finding.

Reporter B: Do you already have a concrete research plan at present?

Lin Yuwan: Oh, sorry. This is confidential. But I have a piece of news to tell you, our company will give Yanjing Polytechnic University 20 IBM computers free.

Sima Wenbo: Thank you.

生　词
New Words

创建	chuàngjiàn	found, establish
仪式	yíshì	ceremony
郑重	zhèngzhòng	solemn
宣布	xuānbù	announce, declare
误会	wùhuì	mistake, misunderstand

新兴	xīnxīng	burgeoning
包括	bāokuò	include
理念	lǐniàn	idea
规范	guīfàn	standard, norm
视觉	shìjué	visual sense
识别	shíbié	distinguish, identify
图案	tú'àn	pattern, design
精心	jīngxīn	meticulously, with the best of care
形成	xíngchéng	take shape, form
捡	jiǎn	pick up
扔	rēng	throw
砸	zá	fall on, hit
无偿	wúcháng	free, gratis
偿还	chánghuán	repay, pay back
酬金	chóujīn	remuneration, monetary reward
保密	bǎomì	keep secret, confidential

重点句
Key Sentences

1. 你们创建工业设计院的目的是什么？

   Nǐmen chuàngjiàn gōngyè shèjìyuàn de mùdì shì shénme?

   What is the purpose of your setting up an institute for

industrial design?

2. 这位小姐误会了。

   Zhè wèi xiǎojie wùhuì le.

   I'm afraid this young lady is mistaken.

3. 什么叫视觉识别?

   Shénme jiào shìjué shíbié?

   What is meant by distinctive visual identity?

4. 你们有能力承担这样的任务吗?

   Nǐmen yǒu nénglì chéngdān zhèyàng de rènwù ma?

   Do you have the ability to undertake such a task?

5. 每一项研究成果都将得到我们公司的酬金。

   Měi yí xiàng yánjiū chéngguǒ dōu jiāng dédào wǒmen gōngsī de chóujīn.

   They will receive payment from our company for each research finding.

6. 对不起,这保密!

   Duìbuqǐ, zhè bǎomì!

   Sorry, this is confidential.

注　释
Notes

1. **第二个重点句:这位小姐误会了。**

   "误会",意思是错误理解了对方的意思。在这一集中,所谓的"工业设计",指的是企业形象设计,不是指如何具体设计一辆汽车。所以说,那位记者小姐的提问是错误理解了"工业设计"。又例如,"我误会了他的意思。"这是说"我"把"他"的意思甚至是好意理解错了,含有自责和表示歉意的意思。

Key Sentence No. 2: This young lady is mistaken.

误会 means to misunderstand the other party. In this lesson, the industrial design refers to the design of corporate image, and not that of a specific object like a car. Therefore, it is said that the lady reporter's question shows that she has understood "industrial design" wrongly. Another example: "I misunderstood him." Its implication is that I had a misunderstanding of what he meant, although he had a good intention, so it is a kind of self-reproof and apology.

2. 相关文化背景知识:

工业设计(CI),是世界范围内市场竞争日益激烈的产物。早在第二次世界大战以前,就已经出现了CI的雏形;50年代后,美国 IBM 公司、可口可乐公司等大型跨国集团运用 CI 策略获得巨大成功。美国哈佛大学罗伯特教授曾说:"15年前企业是在价格上竞争,今天是在质量上竞争,明天则是在工业设计上竞争。"工业设计,已经成了本世纪最热门的话题;在中国,近几年也引起了理论界和企业界的极大关注。一些企业引进 CI 策略,也已取得显著成效。东方企业集团,由原来只 700 元资金、几十个人发展成为一家在国内外拥有 46 家企业跨国集团,经营范围包括房地产、金融、经贸、旅游等行业;太阳神口服液公司,原是广东一家乡镇企业,引进 CI 系统后,三年内资产从 500 万元猛增至 12 亿。这样的例子还有不少,中国已经出现了工业设计热潮，一大批 CI 公司已应运而生，并在工业设计的实践方面日益发挥出巨大作用。

Cultural Background：

Industrial design, or Corporate Identity (CI) strategy, was the outcome of ever increasing worldwide market competition. The embryonic form of CI appeared as early as before World War II. After the 1950s IBM and Coca Cola and other transnational groups used CI strategy and won great successes. Prof. Robert from Harvard once said: "Fifteen years ago, enterprises competed over prices, now they contend over quality and tomorrow, they will rival over CI." CI has become one of the hottest topics in this century. In China, it has aroused great concern in theoretical and business circles in recent years. Some enterprises have introduced CI strategy and have achieved significant results. The Oriental Group, for instance, developed from a company with only a couple of staff members and capital of 700 yuan into a transnational group with 46 enterprises in China and abroad, its business covering real estate, finance, foreign trade and tourism. The Apollo Group Lit. Company was originally a township enterprise. Ever since the introduction of a CI system, its assets jumped from five million yuan to 200 million yuan. CI has aroused intense popular interest in China. A large number of CI companies have emerged and they will play an ever increasing role in this field.

练　习
Exercises

一、组词后写出拼音（Complete the following phrases and then give the phonetic notation）：

设计____　____仪式　____优势　视觉____

____决定　宣布____　图案____　承担____

二、选择正确的词语填空（Choose the right word to fill in each of the following blanks）：

1. 你们____工业设计院的目的是什么？（创建、创造）

2. 我们公司决定，每年____100万元人民币支持燕大的发展。（拿出、取出）

3. 你们有能力____这样的任务吗？（承担、承受）

4. 目前，有具体研究____了吗？（计划、打算）

5. 对不起，这保密！不过，还有一个____可以告诉大家。（信息、消息）

三、听录音，回答问题（Listen to the recording and then answer the following questions）：

1. 新闻发布会开始时，司马文博说了些什么？

2. 兴华汽车有限公司为什么选中燕大为他们做工业设计？

3. 什么叫视觉识别？

4. 林玉婉公司对燕大的资助是无偿的吗？

四、把下面的词组成句子（Unscramble the following into normal sentences）：

1. 什么　是　创建　你们　工业　的　设计院　目的

2. 有　吗　的　任务　能力　承担　你们　这样

3. 了　误会　小姐　位　这

4. 研究　酬金　成果　得到　每　一项　将　都

五、回答问题（Answer the following questions）：

1. 请你举一、二例谈谈公司支持高等院校或研究单位的事。

2. 除了麦当劳的 M 和肯德基的老头像，你还能举出驰名海内外的企业标志或图案吗？

3. 你认为麦当劳和肯德基的企业标志设计怎么样？

第二十四课　资本经营

（在保龄球馆，林玉婉等人在边玩边聊。）

林玉婉：我们休息一会儿。比尔，你可别欺负李莎啊！

李　莎：他不敢！

林玉婉：国栋，我想跟你谈一件事。

吴国栋：玉婉，什么事？

林玉婉：今年的效益不错，我们应该考虑扩大经营规模了。

吴国栋：你有什么具体想法？

林玉婉：我们应该抓住机遇，扩大家庭用小汽车的生产，形成年产 20 万辆的能力。

吴国栋：这需要建设新厂房，购买新设备，上新的生产线，巨额资金从哪里来？

李　莎：你们在谈什么事？这么严肃！

林玉婉：你们也一起听听。我们正在说筹集资金扩大生产规模。

比　尔：这是好事啊！

吴国栋：目前，公司的流动资金有限，如果都用于新上项目的投资，现在的生产怎么维持？

林玉婉：资金不足，可以多渠道融资。我们如果向银行借贷的话，贷款额有限，而且利息也高。所以，我认为借贷不是唯一的办法。

李　莎:搞股票?

林玉婉:对! 就是这条路子。

吴国栋:什么? 炒股票?

林玉婉:不是炒股票,是申请发行股票。

李　莎:好,林总你真有气魄!

比　尔:发行股票,可以很快筹集到巨额资金。这种资金,
　　　　没有到期日,而且通常是不用偿还的,只要按期
　　　　向股民支付股息和红利就可以了。

林玉婉:对。发行股票,对企业、国家和投资者都有好处。

吴国栋:玉婉,发行股票是要经过国务院证券委员会批准
　　　　的。

林玉婉:我知道。我们有广阔的市场,有完善的经营管理
　　　　机制,我们已经达到股票上市公司的要求标准。

李　莎:等我们的股票上市后,我也要去炒一炒,撞撞运
　　　　气!

林玉婉:看你乐的,好像已经发财了!

Zīběn Jīngyíng

(Zài bǎolíngqiú guǎn, Lín Yùwǎn děng rén zài
biān wán biān liáo.)

Lín Yùwǎn:　　Wǒmen xiūxi yíhuìr. Bǐ'ěr, nǐ kě bié qīfu
　　　　　　　 Lǐ Shā a!

Lǐ Shā:　　　 Tā bùgǎn!

Lín Yùwǎn:　　Guódòng, wǒ xiǎng gēn nǐ tán yí jiàn shì.

Wú Guódòng: Yùwǎn, shénme shì?

Lín Yùwǎn: Jīnnián de xiàoyì búcuò, wǒmen yīnggāi kǎolǜ kuòdà jīngyíng guīmó le.

Wú Guódòng: Nǐ yǒu shénme jùtǐ xiǎngfǎ?

Lín Yùwǎn: Wǒmen yīnggāi zhuāzhù jīyù, kuòdà jiā-tíng yòng xiǎo qìchē de shēngchǎn, xíngchéng nián-chǎn èrshí wàn liàng de nénglì.

Wú Guódòng: Zhè xūyào jiànshè xīn chǎngfáng, gòumǎi xīn shèbèi, shàng xīn de shēngchǎnxiàn, jù'é zījīn cóng nǎlǐ lái?

Lǐ Shā: Nǐmen zài tán shénme shì? Zhème yánsù!

Lín Yùwǎn: Nǐmen yě yìqǐ tīngting. Wǒmen zhèngzài shuō chóují zījīn kuòdà shēngchǎn guīmó.

Bǐ'ěr: Zhè shì hǎo shì a!

Wú Guódòng: Mùqián, gōngsī de liúdòng zījīn yǒuxiàn, rúguǒ dōu yòngyú xīn shàng xiàngmù de tóuzī, xiànzài de shēngchǎn zěnme wéichí?

Lín Yùwǎn: Zījīn bùzú, kěyǐ duō qúdào róngzī. Wǒ-men rúguǒ xiàng yínháng jièdài de huà, dàikuǎn é yǒuxiàn, érqiě lìxī yě gāo. Suǒyǐ, wǒ rènwéi jièdài búshì wéiyī de bànfǎ.

Lǐ Shā: Gǎo gǔpiào?

Lín Yùwǎn: Duì! Jiùshì zhè tiáo lùzi.

Wú Guódòng： Shénme? Chǎo gǔpiào?

Lín Yùwǎn： Búshì chǎo gǔpiào, shì shēnqǐng fāxíng
gǔpiào.

Lǐ Shā： Hǎo, Lín zǒng nǐ zhēn yǒu qìpò!

Bǐ'ěr： Fāxíng gǔpiào, kěyǐ hěn kuài chóují dào
jù'é zījīn. Zhè zhǒng zījīn, méiyǒu dàoqī
rì, érqiě tōngcháng shì bú yòng
chánghuán de, zhǐyào ànqī xiàng gǔmín
zhīfù gǔxī hé hónglì jiù kěyǐ le.

Lín Yùwǎn： Duì. Fāxíng gǔpiào, duì qǐyè, guójiā hé
tóuzīzhě dōu yǒu hǎochu.

Wú Guódòng： Yùwǎn, fāxíng gǔpiào shì yào jīngguò
Guówùyuàn Zhèngquàn Wěiyuánhuì
pīzhǔn de.

Lín Yùwǎn： Wǒ zhīdào. Wǒmen yǒu guǎngkuò de
shìchǎng, yǒu wánshàn de jīngyíng
guǎnlǐ jīzhì, wǒmen yǐjīng dádào
gǔpiào shàngshì gōngsī de yāoqiú
biāozhǔn.

Lǐ Shā： Děng wǒmen de gǔpiào shàngshì hòu, wǒ
yě yào qù chǎoyichǎo, zhuàngzhuàng
yùnqi!

Lín Yùwǎn： Kàn nǐ lè de, hǎoxiàng yǐjīng fācái le!

Management of Capital

(At a bowling alley, Lin Yuwan and her party are chatting while playing.)

Lin Yuwan: Let's take a rest. Bill, don't treat Li Sha rough.

Li Sha: He doesn't dare.

Lin Yuwan: Guodong, I have something to discuss with you.

Wu Guodong: Yuwan, what is it?

Lin Yuwan: This year our economic returns are quite good. We must consider expanding the scale of our business.

Wu Guodong: What specific ideas do you have?

Lin Yuwan: We should grasp the opportunity to expand the production of household cars, forming an annual capacity of 200,000.

Wu Guodong: For this we need to build new workshops, purchase new equipment and install new production lines. Where can we find the huge investment needed?

Li Sha: What are you discussing? You look so serious.

Lin Yuwan: You can join us. We were discussing how to raise funds to expand the scale of pro-

	duction.
Bill:	That's a good thing.
Wu Guodong:	The company's current funds are limited. If we use all of them on the new project, how can we sustain the present production?
Lin Yuwan:	If our funds are not sufficient, we can raise funds in various ways. If we borrow from the bank, there is a limit to the money borrowed, and interest is high. So I don't think borrowing is the only way out.
Li Sha:	Going in for stocks?
Lin Yuwan:	Yes, that's the way.
Wu Guodong:	What? Speculating in stocks?
Lin Yuwan:	No, not speculating in stocks. We'll apply to issue stocks.
Li Sha:	Fine. You are bold and decisive, General Manager Lin.
Bill:	By issuing stocks, we can raise a lot of capital very quickly. Such funds don't have a maturity date and normally they do not have to be returned. The only thing is to pay dividends and bonuses to the shareholders regularly.
Lin Yuwan:	That's right. Issuing stock is beneficial to the enterprise, to the state, and to the investors.

Wu Guodong: To issue stock, we need the approval from the Securities Committee of the State Council.

Lin Yuwan: I know. We have a vast market and a perfect management mechanism. We have reached the standards required of a public limited company.

Li Sha: When our stocks are put on the securities market, I will speculate in them and try my luck.

Lin Yuwan: Look at yourself. You are too thrilled as if you have already made a fortune.

生　　词
New Words

欺负	qīfu	bully, take the advantage of
规模	guīmó	scale
巨额	jù'é	a huge amount
严肃	yánsù	serious, solemn
筹集	chóují	raise, accumulate, collect
维持	wéichí	maintain, keep, sustain
融资	róngzī	raise funds
借贷	jièdài	borrow money
股票	gǔpiào	share, stock
路子	lùzi	way, means

炒	chǎo	speculate
发行	fāxíng	issue
气魄	qìpò	boldness of vision，daring
到期（日）	dàoqī(rì)	become due，mature（date）
按期	ànqī	on schedule，on time
支付	zhīfù	pay
股息	gǔxī	dividend
红利	hónglì	bonus，extra dividend
证券	zhèngquàn	negotiable securities
机制	jīzhì	mechanism
上市	shàngshì	go on the market
广阔	guǎngkuò	vast，wide，broad
完善	wánshàn	perfect
运气	yùnqi	fortune，luck

重点句
Key Sentences

1. 我们应该考虑扩大经营规模了。

   Wǒmen yīnggāi kǎolǜ kuòdà jīngyíng guīmó le.

   We must consider expanding the scale of our business.

2. 巨额资金从哪里来？

   Jù'é zījīn cóng nǎli lái?

   Where can we find the huge investment needed?

3. 公司的流动资金有限。

   Gōngsī de liúdòng zījīn yǒuxiàn.

The company's current funds are limited.

4. 资金不足，可以多渠道融资。

Zījīn bùzú, kěyǐ duō qúdào róngzī.

If our funds are not sufficient, we can raise funds in various ways.

5. 发行股票，可以很快筹集到巨额资金。

Fāxíng gǔpiào, kěyǐ hěn kuài chóují dào jù'é zījīn.

By issuing stocks, we can raise a lot of capital very quickly.

6. 我们已经达到股票上市公司的要求标准。

Wǒmen yǐjīng dádào gǔpiào shàngshì gōngsī de yāoqiú biāozhǔn.

We have reached the standards required of a public limited company.

注　释
Notes

1. **第四个重点句：资金不足，可以多渠道融资。**

　　这个句子省略了一些成分，如果说完整了，应该说："我们资金不足，可以通过多渠道融资。""不足"是"不够"的意思。"可以"和"多渠道"，都是状语，是修饰谓语"融资"的，但句中省略了介词"通过"。汉语中，有很多省略句和紧缩句，学习时要注意。

Key Sentence No. 4： If our funds are not sufficient, we can raise funds in various ways.

This key sentence is elliptical. In translating it into English, we have made it complete. 不足 means "not e-nough". Both 可以 and 多渠道 are adverbials modifying 融资 (raise funds), but the preposition 通过 is omitted in the sentence. There are many elliptical and compact sentences in the Chinese language, which must receive our attention in study.

2. 相关文化背景知识:

在中国,曾经有过发行股票和股票经营的历史。以后,停止了发行股票,关闭了股市。随着改革开放的深入,企业逐渐从产品经营向资本经营转变,金融市场日益活跃,在国家的宏观管理下,各种债券开始发行,一些企业得到政府有关部门批准,也开始发行公司股票。上海、深圳两大股市,股票上市公司已逾 300 家,交易异常活跃。现在,中国的一些公司股票,已经在国外公开发行,进入了国际资本市场。中国的股票市场,正在健康发育并日益走向成熟。

Cultural Background:

Issuing and dealing in stocks once existed in China. Later, issuing was stopped and stock markets closed. Along with the deepening of reforms, enterprises are experiencing a change from dealing in products to dealing in capital, and financial markets have become more and more brisk. Under macro management from the state, various debentures are issued. With approval from the appropriate government departments, a number of enterprises have issued their stocks. On the stock markets in Shenzhen and

Shanghai, stocks of more than 300 companies are traded, with busy transactions. Some stocks are sold abroad and thus have entered the international capital market. The security market of China is developing steadily and has embarked on the road to maturity.

练　　习
Exercises

一、**组词后写拼音** (Complete the following phrases and then give the phonetic notation)：

　　____规模　筹集____　　____机制　按期____

　　____效益　____股票　　____股息　偿还____

二、**选择正确的词语填空** (Choose the right word to fill in each of the following blanks)：

1. 我们应该考虑____经营规模了。（扩张、扩大）

2. 你们在谈什么事，这么____？（严肃、严密）

3. 目前，公司的流动资金有限，如果都用于新项目的投资，现在的生产怎么____？（支持、维持、保持）

4. 发行股票是要____国务院证券委员会批准的。（通过、经过）

5. 发行股票，可以很快____到巨额资金。（收集、筹集）

三、**听录音,回答问题**（Listen to the recording and then answer the following questions）：

  1. 在考虑扩大经营规模时,林玉婉有什么具体想法？

  2. 为了尽快筹集到公司扩大经营规模所需的资金,林玉婉打算怎么办？

  3. 比尔说,发行股票有很多好处。都是什么好处？

  4. 申请发行股票要办什么手续？有什么条件？

四、**把下面的词组成句子**（Unscramble the following into normal sentences）：

  1. 了　考虑　经营　应该　扩大　规模　我们

  2. 股票　筹集　资金　可以　发行　利用

  3. 达到　要求　已经　上市　股票　标准　的　公司　我们

  4. 可以　融资　渠道　我们　多

  5. 有限　流动　资金　的　公司

五、**回答问题**（Answer the following questions）：

  1. 公司发行股票有什么好处？要承担风险吗？

2. 你炒过股票吗？在贵国炒股票风险大吗？

3. 你了解中国的股票市场吗？你有什么印象和看法？

第二十五课　跨国经营

（圣诞之夜，林玉婉与职工们热烈地欢度节日。）

李　　莎：今天要是有一对恋人结婚就好了，我们中国人最
　　　　　讲究的就是吉利日子！

司马向梅：你和比尔不就是现成的一对吗？

苗秋萍：哎，比尔怎么没露面啊？

李　　莎：我也不知道！

林玉婉：秀芳，国栋给了我很大帮助，我们的合作很有成
　　　　　果，我要感谢你呀！

田秀芳：国栋是您的老朋友，你们兴华公司又是国家的重
　　　　　点合资企业，他能不尽心竭力吗？

李　　莎：女士们，先生们，下面请林总经理讲几句话！

林玉婉：说点什么呢？　告诉大家一个消息吧。最近，公司
　　　　　董事长问我，2000 年以后，公司在哪儿发展？　我
　　　　　的回答是，在中国！

司马文博：好！　这是一个有远见、有胆识的回答。

林玉婉：司马先生，是中国的决策者有远见、有胆识。中国
　　　　　出现了经济腾飞的机遇，我们有幸赶上了这个时
　　　　　代。

吴国栋：是啊，我们公司一定要尽快形成规模经济，没有
　　　　　相当的规模经济，就不具备参与国际竞争的资
　　　　　格。

林玉婉：所以公司决定，马上追加在合资企业里的投资，扩大生产规模。

吴国栋：我们不仅要在国内融资，而且要充分利用国际资本，争取我们的股票在境外上市。

沈宏业：还要展开广泛合作，做到你中有我，我中有你，创造跨国经营的优势。

林玉婉：(对扮成圣诞老人的比尔)比尔！比尔！你也来讲几句吧！

比　尔：我预祝成功！

李　莎：一个大型的跨国集团，就要出现在世界东方！

林玉婉：说得好！朋友们，在中国政府的支持下，我们正在制订一个跨国经营战略，我们一定会成功！

Kuàguó Jīngyíng

(Shèngdàn zhī yè, Lín Yùwǎn yǔ zhígōngmen rèliè de huāndù jiérì.)

Lǐ Shā： Jīntiān yàoshì yǒu yí duì liànrén jiéhūn jiù hǎo le, wǒmen Zhōngguórén zuì jiǎngjiu de jiùshì jílì rìzi!

Sīmǎ Xiàngméi： Nǐ hé Bǐ'ěr bú jiùshì xiànchéng de yí duì ma?

Miáo Qiūpíng： Āi, Bǐ'ěr zěnmen méi lòumiàn a?

Lǐ Shā： Wǒ yě bù zhīdào!

Lín Yùwǎn： Xiùfāng, Guódòng gěi le wǒ hěn dà

bāngzhù, wǒmen de hézuò hěn yǒu chéngguǒ, wǒ yào gǎnxiè nǐ ya!

Tiānxiùfāng： Guódòng shì nín de lǎo péngyou, nǐmen Xīnghuá Gōngsī yòu shì guójiā de zhòngdiǎn hézī qǐyè, tā néng bù jìnxīn jiélì ma?

Lǐ Shā： Nǚshìmen, Xiānshengmen, xiàmiàn qǐng Lín zǒngjīnglǐ jiǎng jǐ jù huà!

Lín Yùwǎn： Shuō diǎn shénme ne? Gàosu dàjiā yí gè xiāoxi ba. Zuìjìn, gōngsī dǒngshìzhǎng wèn wǒ, èr líng líng líng nián yǐhòu, gōngsī zài nǎr fāzhǎn? Wǒ de huídá shì, zài Zhōngguó!

Sīmǎ Wénbó： Hǎo! Zhè shì yí gè yǒu yuǎnjiàn, yǒu dǎnshí de huídá.

Lín Yùwǎn： Sīmǎ xiānsheng, shì Zhōngguó de juécèzhě yǒu yuǎnjiàn, yǒu dǎnshí. Zhōngguó chūxiàn le jīngjì téngfēi de jīyù. Wǒmen yǒuxìng gǎnshàng le zhège shídài.

Wú Guódòng： Shì a, wǒmen gōngsī yídìng yào jìnkuài xíngchéng guīmó jīngjì, méiyǒu xiāngdāng de guīmó jīngjì, jiù bú jùbèi cānyù guójì jìngzhēng de zīgé.

Lín Yùwǎn： Suǒyǐ gōngsī juédìng, mǎshàng zhuījiā zài hézī qǐyè lǐ de tóuzī, kuòdà shēngchǎn guīmó.

Wú Guódòng:	Wǒmen bùjǐn yào zài guónèi róngzī, érqiě yào chōngfèn lìyòng guójì zīběn, zhēngqǔ wǒmen de gǔpiào zài jìngwài shàngshì.
Shenhóngyè:	Hái yào zhǎnkāi guǎngfàn hézuò, zuòdào nǐ zhōng yǒu wǒ, wǒ zhōng yǒu nǐ, chuàngzào kuàguó jīngyíng de yōushì.
Lín Yùwǎn:	(Duì bànchéng Shèngdàn Lǎorén de Bǐ'ěr) Bǐ'ěr! Bǐ'ěr! nǐ yě lái jiǎng jǐ jù ba!
Bǐ'ěr:	Wǒ yùzhù chénggōng!
Lǐ Shā:	Yí ge dàxíng de kuàguó jítuán, jiùyào chūxiàn zài shìjiè dōngfāng!
Lín Yùwǎn:	Shuō de hǎo! Péngyoumen, zài Zhōngguó zhèngfǔ de zhīchí xià, wǒmen zhèngzài zhìdìng yí ge kuàguó jīngyíng zhànlüè, wǒmen yídìng huì chénggōng!

Transnational Management

(Lin Yuwan and staff are warmly celebrating Christmas.)

Li Sha:	It would be nice if we have a couple marrying today. We Chinese pay great attention to lucky dates.

Sima Xiangmei: You and Bill are a ready-made couple, aren't you?

Miao Qiuping: Well, why hasn't Bill made his appearance?

Li Sha: I don't know either.

Lin Yuwan: Xiufang, Guodong has given me great help, and our cooperation is fruitful. I should thank you for that.

Tian Xiufang: Guodong is an old friend of yours, and Xinghua Company is a key joint venture of the country. How can he not exert himself with might and main?

Li Sha: Ladies and gentlemen, now let's welcome General Manager Lin to say a few words.

Lin Yuwan: What should I say then? Let me break a piece of news to you. Recently, the chairman of the board of directors of our company asked me: "Where will the company locate its further developments after the year 2000?" And my answer was: "In China".

Sima Wenbo: This is a far-sighted and courageous reply.

Lin Yuwan: Mr Sima, it is the Chinese decision-makers who are far-sighted and courageous. In China an opportunity for rapid economic development has emerged, and we are lucky to have caught up with the times.

Wu Guodong: Yes, our company has to form economy of scale as soon as possible. Without scale economy, we are not qualified to join in international competition.

Lin Yuwan: Therefore, our company has decided to increase our investment in the joint venture so as to expand the scale of production.

Wu Guodong: We should not only use domestic financing, but also international capital. We'll strive to sell our stocks abroad.

Shen Hongye: We should also carry out all-round cooperation, so that there is something of each in the other, thus creating the advantage of transnational management.

Lin Yuwan: Bill, Bill, now please come and say a few words.

Bill: I wish our company success.

Li Sha: A large-scale transnational group is going to emerge in the East.

Lin Yuwan: Friends, that's well said. With the support of the Chinese government, we are developing a transnational management strategy. We will surely succeed.

生　词
New Words

恋人	liànrén	lover, sweetheart
结婚	jiéhūn	marry, get married
讲究	jiǎngjiu	be particular about, stress, pay attention to
吉利	jílì	lucky
现成	xiànchéng	ready-made
露面	lòumiàn	make an appearance
尽心竭力	jìnxīn jiélì	with all one's heart and all one's might
重点	zhòngdiǎn	key, focal point; major
董事长	dǒngshìzhǎng	Chairman of the board of directors
胆识	dǎnshí	courageous
腾飞	téngfēi	soar, make rapid advance
有幸	yǒuxìng	be lucky to
时代	shídài	times
相当	xiāngdāng	quite, fairly, considerably
具备	jùbèi	have, possess
资格	zīgé	qualification
追加	zhuījiā	add to
资本	zīběn	capital
境外	jìngwài	out of borders, abroad
展开	zhǎnkāi	launch, unfold, carry out

集团　　　jítuán　　　　　group，bloc
战略　　　zhànlüè　　　　strategy

重点句
Key Sentences

1. 我们中国人最讲究的就是吉利日子！

   Wǒmen zhōngguórén zuì jiǎngjiu de jiùshì jílì rìzi.

   We Chinese pay great attention to lucky dates.

2. 公司在哪儿发展？

   Gōngsī zài nǎr fāzhǎn?

   Where will the company locate its further developments?

3. 这是一个有远见、有胆识的回答。

   Zhè shì yí ge yǒu yuǎnjiàn, yǒu dǎnshí de huídá.

   This is a far-sighted and courageous reply.

4. 中国出现了经济腾飞的机遇。

   Zhōngguó chūxiàn le jīngjì téngfēi de jīyù.

   In China an opportunity for rapid economic development has emerged.

5. 我们不仅要在国内融资，而且要充分利用国际资本。

   Wǒmen bùjǐn yào zài guónèi róngzī, érqiě yào chōngfèn lìyòng guójì zīběn.

   We should use not only domestic financing, but also international capital.

6. 我们正在制订一个跨国经营战略。

Wǒmen zhèngzài zhìdìng yí ge kuàguó jīngyíng zhànlüè.

We are developing a transnational management strategy.

注　释
Notes

1. 第一个重点句：我们中国人最讲究的就是吉利日子！

　　"讲究"，动词，是重视并努力争取做到的意思，如"讲究卫生"、"讲究实事求是"。"最讲究的"是一个名词短语，在这个句子里可以理解为"中国人最讲究的事"。"讲究"也常作名词用，如说"搞股票有很多讲究"，这是说"股票"这样的事，值得注意和认真研究的内容很多。

Key Sentence No. 1:　We Chinese pay great attention to lucky dates.

　　讲究 is a verb meaning "pay attention to and strive for", e. g. , "pay attention to hygiene", "stress seeking truth from facts". 最讲究的 is a nominal group, which in this sentence can be understood as "the thing the Chinese pay most attention to". 讲究 can also be used as a noun, e. g. , "It needs a great deal of careful study going in for stocks".

2. 相关文化背景知识：

　　在这一课中，林玉婉说，中国出现了经济腾飞的机遇。这是对中国的未来充满乐观的估计。现在，中国确实面临着这样的机遇。中国的政治稳定,人民团结,经济持续高速发展,改革开放在进一步深化,社会主义市场经济体制正在建立并逐步走向成熟。中国还争取到了良好的国际环境,在世界范围内建立了广泛而友好的合作关系。中国人民的事业,得到了世界人民的支持。经过几代人的艰苦奋斗,中国人民必将实现四个现代化建设的宏伟目标。

中国人做什么事都要挑选一个吉利日子。这是一个有悠久历史的传统习惯。结婚典礼,建新房奠基,出门旅行,商店开业,都要选一个吉利日子;就是死了人出殡,也要选一个吉利日子。所谓"吉利"日子,是指能给人带来幸福、避免灾祸的日子。过去选吉日,要查"黄历"。"黄历"是中国清代朝廷颁发的历书,用阴阳五行说解释每一天的吉凶祸福。现在选吉日,一般不再查"黄历"了,大都选喜庆节日,如春节,"五一"节,国庆节等。当然也还有许多讲究。

Cultural Background：

In this lesson Lin Yuwan said："In China an opportunity for rapid economic development has emerged." This is a very optimistic estimate about China's future. At present, China does face such an opportunity, with a stable political situation, unity of the people, sustained high growth rate in economic development, further deepening of reform and opening, and the development of a socialist market economic system. China has also obtained a favorable international environment, having widely established friendly cooperative relations the world over. Through hard work of several generations, the Chinese people are confident that they will, step by step, realize the magnificient goal of the four modernizations.

The Chinese people would pick a lucky date for whatever they do. This traditional custom has a long history behind it. A lucky date is picked for marriage ceremony, for laying a foundation stone of a new house, for travelling, for the opening of a new shop, and even for holding a funeral procession. The so-called lucky date refers to one that can bring happiness or avoid disaster. In the past, for the purpose of selecting a lucky date, one had to look up the almanac, which was issued by the Qing Dynasty government based on the Chinese lunar calendar and used the theory of *yin-yang* and five elements to explain the good or ill luck and the weal and woe on each day. Now to pick a lucky date, people generally no longer look up the almanac, but simply follow festive holidays, such as the Spring Festival, May Day or the National Day. Of course great attention is still paid to such things.

练　习
Exercises

一、组词后写出拼音（Complete the following phrases and then give the phonetic notation）：

参与　　　　战略　　腾飞　具备

广泛＿＿＿ ＿＿＿集团　抓住＿＿＿ ＿＿＿资本

二、选择正确的词语填空 (Choose the right word to fill in each of the following blanks)：

1. 这是一个有远见、有胆识的＿＿＿。（答复、回答）

2. 我们不仅要在国内融资，而且要充分＿＿＿国际资本。（采用、利用、用）

3. 还要＿＿＿广泛合作，做到你中有我，我中有你，创造跨国经营的优势。（开展、展开）

4. 我们正在＿＿＿一个跨国经营战略。（制订、拟定）

5. 一个大型跨国集团，就要＿＿＿在世界东方。（出现、呈现、展现）

三、听录音，回答问题 (Listen to the recording and then answer the following questions)：

1. 公司董事长问林玉婉总经理 2000 年后公司在哪儿发展，林总怎么回答？为什么？

2. 为了参与国际竞争，公司下一步应怎么办，他们有什么计划？

3. 公司扩大生产规模的资金从哪里来？

四、把下面的词组成句子 (Unscramble the following into normal sentences)：

1. 吉利　个　日子　是　这

2. 机遇　腾飞　出现　的　经济　了　中国

3. 战略　一　是　个　经营　跨国　这

4. 国际　要　利用　充分　资本　我们

五、回答问题（Answer the following questions）：

1. 你认为中国的投资环境怎么样？

2. 你对 2000 年后世界贸易格局有什么看法？

3. 你了解贵国的跨国公司吗？他们是怎样开拓国外
   市场的？

4. 你学习汉语，是为了参与跨国公司经营吗？请谈
   谈你的一些想法。

生词总表
Glossary

D

F

K

L

Q

R

S

T

W

X

Y

Z

责任编辑：龙燕俐

封面设计：朱　丹

经贸汉语

黄为之　编

*

Ⓒ华语教学出版社

华语教学出版社出版

（中国北京百万庄路 24 号）

邮政编码 100037

北京外文印刷厂印刷

中国国际图书贸易总公司发行

（中国北京车公庄西路 35 号）

北京邮政信箱第 399 号　邮政编码 100044

1998 年(34 开)第一版

（汉英）

ISBN 7-80052-506-6/H·676

03000

9-CE-3186P